Safana

Cyflwynir y llyfr hwn i
Stacey Abrams
a phawb sydd wedi gweithio
gyda *Fair Fight* yn Georgia

Safana

JERRY HUNTER

Hoffwn ddiolch i holl staff y Lolfa, ac i Meleri Wyn James
yn enwedig am lywio'r nofel trwy'r wasg o'r dechrau i'r diwedd
mewn modd mor hwyliog a dyheuig.

Rwyf yn ddiolchgar iawn i Ray Becker am greu'r map
a welir ar ddechrau'r llyfr; cymerodd fy mraslun blêr a'i droi'n
ddarluniad hardd sy'n diriaethu Safana ar bapur.

Bu anogaeth Gareth Evans-Jones yn hwb aruthrol; diolch iddo am
ddarllen drafft cynnar o'r nofel a chynnig sylwadau. Fel yn achos pob llyfr
arall o'm heiddo, Judith oedd y darllenydd cyntaf; ni allaf ddiolch iddi
ddigon am ei chefnogaeth barhaol. Diolch hefyd i Megan a Luned am
wneud loc down haf 2020 yn gyfnod annisgwyl o hyfryd.

Argraffiad cyntaf: 2021
© Hawlfraint Jerry Hunter a'r Lolfa Cyf., 2021

Cynllun y clawr: Sion Ilar
Llun y map: Ray Becker

Rhif Llyfr Rhyngwladol: 978 1 80099 039 5

Dymuna'r cyhoeddwyr gydnabod cymorth ariannol
Cyngor Llyfrau Cymru

Cyhoeddwyd ac argraffwyd yng Nghymru
ar bapur o goedwigoedd cynaliadwy gan
Y Lolfa Cyf., Talybont, Ceredigion SY24 5HE
e-bost ylolfa@ylolfa.com
gwefan www.ylolfa.com
ffôn 01970 832 304
ffacs 01970 832 782

Angel Hanes
y llyfr cyntaf:
Safana

Dychmygir angel hanes fel hyn. Mae'n wynebu'r gorffennol. Ble y gwelwn ni gadwyn o ddigwyddiadau, mae'n gweld un drychineb hir sy'n parhau i bentyrru llanast o flaen ei draed. Hoffai'r angel aros, deffro'r meirwon, a gwneud y pethau sydd wedi cael eu chwalu'n gyfan eto. Ond mae storm yn chwythu o Baradwys ac mae wedi'i dal yn ei adenydd gyda chymaint o ffyrnigrwydd nes ei bod yn amhosib iddo eu cau. Er ei waethaf ei hun, mae'r storm yn ei wthio ymlaen i'r dyfodol y mae wedi cefnu arno, wrth i'r domen o lanast o'i flaen dyfu tua'r awyr. Y storm hon yw'r hyn yr ydym ni'n ei alw'n gynnydd.

– Walter Benjamin,
Über den Begriff der Geschichte (rhydd-drosiad)

Rhagymadrodd (An)hanesyddol

Hanes

Bu farw George Whitefield ddiwedd mis Medi, 1770. Bu farw yn Newburyport, Massachusetts, yn bell o'r drefedigaeth yr oedd wedi gweithio mor galed ynddi a throsti, Georgia. Er nad oedd ond 55 oed adeg ei farwolaeth, roedd wedi gwneud digon i sicrhau lle iddo'i hun mewn llyfrau hanes. Yn un o sylfaenwyr mudiad crefyddol newydd, Methodistiaeth, mae'n cael ei gofio gan rai fel Tad Ysbrydol America.

Ymwelodd â Georgia am y tro cyntaf yn y flwyddyn 1738. Yn ddiweddar roedd James Oglethorpe a meddylwyr blaengar eraill wedi'i sefydlu hi fel trefedigaeth iwtopaidd. Yn wahanol i'r ddeuddeg drefedigaeth Brydeinig i'r gogledd, roedd Georgia yn cael ei rhedeg gan fwrdd o ymddiriedolwyr, wedi'u hawdurdodi gan y Goron ond yn fwy annibynnol na'r trefedigaethau Americanaidd eraill. Ac yn wahanol i'r trefedigaethau eraill, nid oedd caethwasiaeth yn cael ei chaniatáu oddi mewn i ffiniau Georgia.

Beirniadodd George Whitefield y driniaeth greulon yr oedd caethweision yn ei dioddef yn y trefedigaethau eraill. Pan sefydlodd gartref plant amddifaid ar gyrion Savannah, sicrhaodd y byddai plant o dras Affricanaidd yn cael eu croesawu, eu meithrin a'u haddysgu yno.

Ond eto daeth Whitefield i wrthwynebu gwaharddiad Georgia ar gaethwasiaeth. Ac yntau wedi gweld y cyfoeth yr oedd y drefn gaeth wedi'i greu i rai o drigolion y trefedigaethau eraill, teimlodd na fyddai'i fentrau yn Georgia yn llwyddo heb gyflwyno llafur caeth. Prynodd blanhigfa dros y ffin yn Ne Carolina yn 1747 a'i henwi'n 'Rhagluniaeth' (*Providence*) a phrynodd gaethweision i weithio ar y blanhigfa honno. Yn ogystal, pwysai ar ymddiriedolwyr Georgia i newid cyfansoddiad y drefedigaeth a chaniatáu caethwasiaeth. '*The Colony of Georgia has been declining for these many years last past*,' ysgrifennodd yn 1748, gan nodi bod y gwaharddiad wedi achosi '*great disadvantages*' iddo'n bersonol. Mewn llythyr arall crisialodd ei farn mewn iaith blaen: '*The constitution of the colony is very bad… it is impossible for the inhabitants to subsist without the use of slaves.*'

Newidwyd cyfansoddiad Georgia yn 1751 er mwyn caniatáu caethwasiaeth. Gwnaethpwyd Georgia'n drefedigaeth frenhinol yn 1752, gan ddileu rhagor o wahaniaethau rhyngddi hi a'r trefedigaethau Prydeinig eraill yn America.

Erbyn 1860 a throthwy'r Rhyfel Cartref, roedd 462,198 o gaethweision yn Georgia – mwy na'r un dalaith arall ar wahân i Virginia.

Canlyn Barn

Yn debyg i'r rhan fwyaf o Gristnogion ei oes, credai George Whitefield fod y nefoedd ac uffern yn lleoedd go iawn.

Ond gadewch i ni gytuno nad yw'r nefoedd a'r uffern a ddychmygid gan George Whitefield yn bod. Gadewch i ni ddychmygu'n hytrach fod bydoedd eraill a bywydau eraill y tu hwnt i'r byd hwn a'r bywyd hwn. Dywedwn fod troseddau dyn fel George Whitefield yn ddigon i droi clorian barn adeg ei farwolaeth, a bod y chwalfa honno'n ddigon i rwygo'r llen. Edrychwn trwy'r twll yn y llen. Edrychwn ar un o'r bydoedd eraill hynny. Ystyriwn nifer o'r bywydau eraill hynny.

Anhanes

Wedi'u denu gan weledigaeth iwtopaidd James Oglethorpe, heidiodd radicaliaid o wahanol wledydd i Georgia yn ystod y 1730au a'r 1740au. Ffurfiwyd rhwydwaith gwleidyddol effeithiol ganddynt a llwyddasant i rwystro George Whitefield a'r rhai a oedd yn ceisio newid cyfansoddiad Georgia. Ni chyflwynwyd caethwasiaeth i'r drefedigaeth. Ni ddaeth yn drefedigaeth frenhinol chwaith, gan felly aros yn lled annibynnol, yn drefedigaeth wedi'i hawdurdodi gan y Goron er nad oedd yn cael ei rheoli'n uniongyrchol ganddi.

Cydweithiai asiantau Georgia â phobl yn y trefedigaethau eraill a goleddai weledigaeth debyg. Erbyn diwedd 1765 roedd Connecticut, Rhode Island, Massachusetts a New Hampshire wedi llwyddo i gael y Goron i ddileu caethwasiaeth oddi mewn i'w ffiniau. Daeth Gweriniaeth Rydd Vermont a Chonffederasiwn Wabanaki y gogledd-ddwyrain yn bwerau rhydd grymus hefyd. Roedd Pennsylvania, New Jersey a New York yn anfon deisebau tebyg dros y môr ac yn hyderus y byddai'r brenin a'i lywodraeth yn gorfod cydsynio a newid eu cyfreithiau hwythau.

Ond roedd Maryland, Virginia, Gogledd Carolina a De Carolina yn wahanol iawn. Roedd y pedair trefedigaeth gaeth hyn yn gymharol gyfoethog ac felly'n ddylanwadol, ac yn defnyddio'u holl ddylanwad i geisio darbwyllo'r brenin a'i lywodraeth y dylid cyfreithloni caethwasiaeth trwy'r holl drefedigaethau Prydeinig yn America.

Er bod llawer o'r pwerau yn Llundain o blaid cais y pedair trefedigaeth gaeth, roedd Prydain yn rhyfela â Sbaen ac roedd Georgia'n bwysig iawn yn filwrol gan ei bod yn ffinio â Fflorida Sbaenaidd. Bu trigolion Georgia'n fodlon ymladd ar ochr y Goron yn erbyn y Sbaenwyr er mwyn sicrhau parhâd ei chefnogaeth i'w statws lled-annibynnol.

Ond lluniwyd heddwch rhwng Prydain a Sbaen yn 1769. Dywedai rhai fod y brenin a'i lywodraeth yn barod i weithredu a chefnogi cais Maryland, Virginia a'r ddwy Garolina. Credai ambell un y byddai'r Goron yn diddymu siarter a chyfansoddiad Georgia. Ei throi'n drefedigaeth frenhinol fyddai'r cam nesaf, meddid, a chyflwyno caethwasiaeth i'r drefedigaeth fyddai'r cam olaf.

1770 yw'r flwyddyn bresennol. Dywed y doethion fod rhyfel ar y ffordd.

SAFANA

1. Sgwâr Oglethorpe
2. Sgwâr Persifal
3. Sgwâr Sant Siâms
4. Sgwâr y Dirwyndy
5. Sgwâr Johnson
6. Sgwâr Decker

A. Y Dirwyndy
B. Tŷ'r Farchnad
C. Neuadd y Ddinas
CH. Y Farchnad Bysgod
D. Stablau Broton
DD. Y Strand
E. Yr Afon
F. Tafarn yr Ardd
FF. Stordai
G. Tŷ Grasi

Rhan I
Awst 1770

'negeswyr sydd fel gwyntoedd, a gweision
sydd fel fflamau o dân' – Hebreaid 1.7

Sgwâr Persifal

SYMUDODD HI AR draws y sgwâr, yn cerdded mor gyflym â phosib heb dynnu sylw ati hi'i hun. Pe na bai materion pwysfawr yn galw, byddai Grasi'n oedi er mwyn sawru'r awyrgylch. Er bod chwe sgwâr yng nghanol Safana, chwe chanolbwynt i fywyd y ddinas, hon oedd hoff un Grasi. Percival Square.

Yn debyg i sgwariau eraill Safana, roedd coed derw bytholwyrdd mawr yn fframio'r gofod agored a mwsog Sbaenaidd hir yn hongian o ganghennau'r coed fel cynffonnau ceffylau gwyrdd-lwyd. Ac yn debyg i'r lleill, roedd tai yn llenwi ochr arall pob un o'r pedair stryd lydan a oedd yn diffinio'r sgwâr. Tai Sioraidd praff oedd yr adeiladau hyn, cartrefi rhai o'r bobl fwyaf cyfoethog yn nhrefedigaeth Georgia.

Yr hyn a wnâi Sgwâr Persifal yn arbennig i Grasi oedd y pyramid o gerrig yn ei ganol, pig y gofeb bron mor uchel â brigau'r coed derw. Y lle cysegredig hwn oedd bedd Tomochichi, pennaeth y Mvskoke, y dyn a groesawodd y Cadfridog James Oglethorpe pan ddaeth yma am y tro cyntaf. Er bod Tomochichi wedi dysgu digon i amau cymhellion y dynion gwyn a ddeuai ar longau mawr ar draws y môr, roedd yn hoffi'r Sais hwn ac yn credu bod ei weledigaeth yn un y gallai'i chefnogi, sef creu cartref i bobl o bob cefndir a sicrhau'u bod nhw'n cael byw'n rhydd. Cynorthwyodd Tomochichi James Oglethorpe er mwyn sefydlu'r drefedigaeth iwtopaidd yn llwyddiannus. Pan fu farw pennaeth y Mvskoke, mynnodd y Cadfridog Oglethorpe ei gladdu yn y lle anrhydeddus hwn, yma yng nghanol Safana. Roedd cadernid tawel y pyramid yn llonni meddwl Grasi fel arfer; hoffai hi gerdded yn araf o gwmpas y gofeb fawr, yn synfyfyrio ynghylch hanes y gwahanol bobloedd yr oedd hi'n perthyn iddyn nhw.

Ond ni allai hi arafu a mwynhau awyrgylch y sgwâr y tro hwn; roedd ei neges yn rhy bwysig. Er bod y diwrnod bron ar ben a'r haul ar fachlud, roedd gwres mis Awst yn llethol o hyd a lleithder yr awyr yn ormesol, felly nid oedd neb arall i'w weld yn y sgwâr. Ond ni theimlai Grasi effaith y gwres na gormes y lleithder.

Cyrhaeddodd ochr bellaf y sgwâr. Safodd rhwng dwy o'r coed, stribedi gosgeiddig o'r mwsog hir yn hongian fel llenni bob ochr iddi hi. Gallai weld y tŷ o'i blaen, draw ar yr ochr arall i Stryd Efrog. Adeilad a oedd yn fawr ac yn foethus hyd yn oed o'i gymharu â thai eraill y gymdogaeth gyfoethog hon. Roedd grisiau cerrig gyda chanllawiau haearn cain yn arwain i fyny at ddrws mawr coch, a rhesi o ffenestri mawr hirsgwar bob ochr i'r drws. Gyda golau'r dydd yn dechrau ildio i gysgodion cyfnos, roedd lampiau olew wedi'u cynnau mewn rhai o'r tai ar y stryd yn barod, fel y tystiai'r gwrid cynnes melyn a welai Grasi yn ffenestri rhai o'r tai eraill. Ond nid felly'r tŷ hwn; roedd llenni trwchus wedi'u tynnu er mwyn sicrhau na allai neb weld beth oedd yn digwydd y tu ôl i'r drws mawr coch.

Clywodd Grasi sŵn clecian – carnau ceffylau yn curo'n uchel ar gerrig y stryd. Edrychodd i'r dde a gweld bod coets yn dod. Llithrodd hi o dan y llen o fwsog a hongiai o'r canghennau ar y chwith a chuddio y tu ôl i'r goeden. Edrychodd o'i chuddfan yn ofalus, yn gweld heb gael ei gweld – crefft yr oedd hi wedi'i pherffeithio yn ystod y blynyddoedd diwethaf. Cleciodd dau geffyl heibio yn tynnu'u coets, yr olwynion yn rhatlo dros gerrig crynion y stryd. Roedd yn goets fawr gain, un wedi'i phaentio'n ddu gyda phatrymau euraid cymhleth yn chwyrlïo o gwmpas y drws. Eisteddai'r gyrrwr yn gefnsyth ar y sêt uchel, colar ei gôt lwyd wedi'i thynnu i fyny at ei glustiau er gwaethaf y gwres, ei wyneb yng nghysgod ei het drichorn dywyll. Ni allai Grasi weld pwy bynnag a oedd yn teithio y tu mewn i'r goets; un ffenestr fach a oedd yn y drws, a llenni tywyll wedi'u tynnu ar ei thraws. Gwaith Grasi oedd adnabod pobl. Yn yr un modd, roedd hi'n gallu adnabod cerbydau pobl bwysig y ddinas. Ond nid oedd hi wedi gweld y goets hon erioed o'r blaen. Craffodd wrth i'r cerbyd dieithr fynd heibio, carnau'r ceffylau'n clecian ac olwynion y goets yn rhatlo, a'r sŵn yn distewi'n araf wrth i'r goets fawr bellhau oddi wrthi. Edrychodd Grasi eto, yn taflu'i llygaid i fyny ac i lawr y stryd. Ni welodd neb, dim ond cath frith yn cerdded yn hamddenol ar y palmant yr ochr arall i Stryd Efrog. Llithrodd yn gyflym trwy'r llen o fwsog gwyrdd-lwyd a rhoddodd un droed ar y stryd. Edrychodd yn frysiog i fyny ac i lawr y stryd eto. Neb, neb ond y gath. Brasgamodd ar draws y stryd, yn mynd mor gyflym â phosib heb redeg, y dafnau cyntaf o chwys yn dechrau ymddangos ar ei thalcen a'i gwar. Nid gwres a lleithder yr hinsawdd oedd yn gwneud iddi deimlo'n boeth, ond rhyw deimlad ei bod ar fin cael ei gweld. Ie, ofn ei bod hi ar fin cael ei gweld gan rywun nad oedd am iddo ei gweld. Ond cyrhaeddodd ochr arall y stryd yn ddiogel a rhuthrodd i fyny'r grisiau at y drws mawr coch.

ymweliadau hyn yn bwysicach na'r Nadolig nac unrhyw wyliau eraill. Ymdreiddiai cyffro trwy'r holl le ar yr adegau hyn, a dysgodd Grasi pan oedd hi'n dal yn ferch fach iawn mai'r Parchedig Whitefield oedd calon, meddwl ac enaid Bethesda. Hyd yn oed pan nad oedd yno, pan oedd yn cynnal taith bregethu trwy'r trefedigaethau eraill neu draw dros y môr yn Lloegr, gwyddai Grasi, fel y gwyddai holl blant Bethesda, mai ysbryd y Parchedig Whitefield oedd yr ysbryd anweledig a gerddai'r coridorau yn y nos, yn sicrhau eu bod nhw'n ddiogel.

Pan ymwelai'r Parchedig Whitefield, byddai'n rhoi sylw i'r holl blant ac yn gwneud i bob un ohonynt deimlo'n arbennig, ond teimlai Grasi'i fod yn neilltuol o hoff ohoni hi. *'You could be one of the angels.'* Dyna a ddywedai weithiau ar ôl i'w deallusrwydd ddechrau amlygu'i hun. Roedd hi'n gallu cofio gweddïau hirion air am air, roedd yn rhagori ar y plant eraill yn eu gwersi, a dywedai'r athrawon fod ganddi allu ieithyddol cwbl ryfeddol. Edrychai'r Parchedig Whitefield yn graff arni, pen ei drwyn fel anelfa gwn a helpiai'r llygaid taer hynny i hoelio'i llygaid hi. 'Gwyddost ti, Grasi, fod gennyt alluoedd arbennig iawn, diolch i Dduw amdanyn nhw. Gallet ti fod yn un o'r angylion.'

Ymgasglodd y plant yn y capel bach ar waelod y prif adeilad ar gyfer gwasanaethau crefyddol bob bore a nos. Ond profiad gwahanol iawn oedd y cyfarfodydd gweddi hyn yn ystod ymweliadau'r Parchedig Whitefield gan y byddai'n pregethu iddynt. Roedd ei lais yn soniarus iawn, a llefarai eiriau cyfarwydd y Beibl mewn modd anghyffredin o ddramatig, ei oslef yn pwysleisio'r ystyr mewn ffordd annisgwyl a chofiadwy. Gallai daranu â'r llais hwnnw, a byddai'r plant lleiaf yn mwynhau esgus eu bod wedi'u dychryn wrth feddwl

Croesi'r Ffin

ROEDD GRASI WEDI gadael Safana wythnos yn gynharach, yn teithio i'r gorllewin gan ei bod hi'n bwriadu croesi'r ffin rhwng Georgia a De Carolina ar ôl gadael yr arfordir yn bell y tu ôl iddi. Gallasai fod wedi croesi'r afon a ffurfiai ffin ogleddol dinas Safana a glanio ar dir De Carolina'n syth, ond roedd gormod o lygaid yn gwylio'r rhan honno o'r ffin rhwng y ddwy drefedigaeth. Beth bynnag, Providence oedd ei chyrchfan, ac roedd planhigfa George Whitefield yn bellach i'r gorllewin.

Cerddai ar hyd y lonydd llychlyd trwy wres mis Awst. Byddai cerdded am gwpl o oriau ar ddiwrnod mor boeth wedi bod yn ddigon i'r rhan fwyaf o bobl, ond teithiai Grasi'n gyflym ac yn bell heb lawer o ymdrech. Prin yr oedd hi'n chwysu ac roedd fel pe na bai llwch y lonydd yn glynu wrthi. Nid aeth yn hollol syth fel yr hed y frân, am nad oedd hi am gael ei gweld gan neb. Byddai'n gadael y lôn a mynd trwy'r goedwig weithiau er mwyn osgoi croesffordd, ac ar adegau eraill byddai'n symud yn ofalus yn ei chwrcwd y tu ôl i lwyn neu ffens wrth iddi fynd heibio i ffermdy neu dafarn. Pan glywai sŵn teithwyr eraill, llithrai o'r lôn, cuddio, a disgwyl iddynt fynd heibio iddi. Yn ogystal â'r wageni'n cludo golosg a welid yn achlysurol ym mhob tymor, roedd nifer o gerbydau'n cludo cnydau diwedd haf. Ond roedd yn hawdd eu clywed, y clencian a'r rhochian yn cyrraedd ei chlustiau o bell. Clywai'r ceffylau unigol a'r teithwyr prin a oedd yn cerdded cyn iddynt ei chlywed hi, hyd yn oed, ac felly câi gyfle i adael y lôn a chuddio bob tro.

Nid teithio'n gyflym a chuddio'n dda oedd unig ddoniau Grasi. Gallai osgoi tynnu sylw ati hi'i hun pan oedd yng nghanol pobl hefyd. Ond yn fwy na hynny, gallai ymddangos yn berson gwahanol i wahanol bobl pan fyddai angen. Âi eu llinachau'n ôl i Affrica ac i Ewrop yn ogystal ag i'r Mvskoke, ac roedd nodweddion yr holl bobloedd hyn i'w gweld yn ei phryd a'i gwedd. Trwy hir arfer, gwyddai sut i ddefnyddio symudiad, osgo, acen neu oslef llais i bwysleisio'r naill nodwedd neu'r llall a chamarwain llygaid a chlustiau pobl. Gallai guddio'i hoedran a'i rhyw hefyd. Bachgen Affricanaidd tua phymtheg oed a welai rhai llygaid weithiau. Byddai llygaid eraill yn gweld gwraig frodorol ar ganol ei hugeiniau. Ar adegau eraill, byddai'n ymddangos fel merch wen ar ddiwedd ei harddegau. Ond penderfynodd cyn gadael Safana mai osgoi pobl yn gyfan gwbl fyddai'r peth gorau ar gyfer y daith bwysfawr hon. Bu'n fwy na gofalus yr holl ffordd. Cysgodd am ychydig o oriau mewn coedwig cyn croesi'r ffin i diriogaeth De Carolina. Deffrôdd cyn y wawr er mwyn dechrau ar ei siwrnai eto.

Er bod y daith hir i blanhigfa George Whitefield yn un beryglus, roedd yn well ganddi hon na'r daith fer i Fethesda, tua deg milltir i'r de o Safana. George Whitefield a oedd wedi sefydlu'r cartref ar gyfer plant amddifaid. Dwy oed oedd Grasi pan fu farw ei mam, ac er ei bod hi'n cofio cael ei chario gan rywun o'r gwely angau, yn sgrechian am ei mam, ni allai gofio'r daith i Fethesda, y lle a fyddai'n gartref iddi am dair ar ddeg o flynyddoedd. Rhannai un o ystafelloedd gwely'r tŷ mawr â nifer o ferched eraill. Pan ddysgai gyfrif, daeth Grasi

i wybod bod ugain ystafell wely yn yr adeilad, ond pan hi'n fach roedd y rhesi o ddrysau ar y ddau lawr yn ymddda yn ddi-ben-draw, gyda'r holl ystafelloedd dosbarth, y ffre y capel bach ac ystafell y Parchedig Whitefield yn eu my ogystal â llofftydd y plant. Roedd dau adeilad arall yn y ond nid oedd hi mor gyfarwydd â nhw, gan nad oedd hi yn ddigon sâl i fynd i'r clafdy a gan nad oedd hi'n cael r gyda'r bechgyn i'r gweithdy i ddysgu crefft. Gwnïo oedd y merched, a chynhelid y gwersi hynny yn y prif ad Dysgodd hi mai Tŷ Trugaredd oedd ystyr yr enw Beth a dywedai staff y cartref wrthi'n aml y dylai hi ddio Dduw am gael byw yn y tŷ trugarog hwnnw. Roedd gorfod dysgu bod yn ddiolchgar am y ffaith bod y Parch Whitefield yn derbyn plant o dras Affricanaidd yn ogy phlant gwyn yng nghartref Bethesda hefyd.

Er ei bod hi'n cyd-dynnu'n iawn â'r holl blant eraill, t Grasi oedd cadw'i chwmni'i hun. Ond daeth yn ffri agos iawn ag un ferch arall yr un oed, Agnes. Byddai'r d rhannu breuddwyd ac yn treulio amser hamdden yn r straeon am eu byd bach nhw. Dychmygen nhw fod cudd o dan adeiladau'r cartref yn agor ar ogofâu ysblen Cynigiodd Agnes fod un o'u hathrawon, Mister Benet, bod yn gapten llong cyn dod i Fethesda, ac ychwan Grasi mai môr-leidr ydoedd. Tyfodd y chwedlau am ga chreulonderau Capten Benet yn ystod y blynyddoedd, n y ddwy bron yn credu yn eu ffantasti nhw'u hunain. Tre merched oriau lawer yn dychmygu hanes y Par Whitefield hefyd, ond campau arwrol a gweithr caredig yn unig a briodolid iddo fo.

Dim ond yn achlysurol yr ymwelai sefydlydd er cartref â Bethesda ond yn fuan daeth Grasi i ddeall

am y tân a ddisgrifiai, yn disgyn o'r nefoedd, ond byddai Mister Whitefield yn ymollwng wedyn i ryw suoganu tawel a oedd yn hyfryd o swynol. Y twrwf a'r tawelwch, y cryfder a'r gwendid; meddyliai Grasi fod y gwrthgyferbyniadau hyn y tu mewn iddo yn gyrru'r dyn, fel pwysau a phwlïau yn gyrru peiriant. Gallai siarad â llais mawr cryf, gallai godi'r llais pwerus hwnnw wrth bregethu mewn modd na allai'r un gweinidog arall ei wneud, ond weithiau byddai'n suddo'n ddisymwth i bwl o besychu, ei asthma'n caethiwo'i wynt ac yn gwneud anadlu yn anodd iddo, heb sôn am bregethu. Dywedai plant hŷn a staff Bethesda fod cannoedd lawer o bobl yn heidio i glywed y Parchedig Whitefield yn pregethu weithiau a'i fod yn gallu taflu'i lais dros gae a oedd yn ddigon mawr i gynnwys mil o wrandawyr. Ond roedd y dyn cyhoeddus hyderus hefyd yn dyner ac yn dawel y tu ôl i ddrysau caeedig, pan nad oedd neb arall yn yr ystafell ond y ddau ohonynt. Byddai'n edrych arni hi gyda llygaid caredig ac yn dweud y geiriau a âi'n syth at ei chalon. 'Da iawn ti, Grasi. Rwyt ti'n ferch arbennig iawn. Gallet ti fod yn un o'r angylion.'

Cofiai hi fod cyffro neilltuol pan ymwelodd y Parchedig Whitefield â Bethesda yn 1751. Chwech oed oedd hi, ond gwyddai fod rhywbeth am yr ymweliad hwnnw a oedd yn wahanol. Daeth nifer o ddynion dieithr gydag o, a deuai rhagor ohonynt yn ystod ei amser yn y cartref. Nid oedd y bechgyn yn cael mynd trwy ddrysau'r gweithdy yn ystod yr wythnos honno, gan fod Mister Whitefield yn ei ddefnyddio ar gyfer ei ffrindiau, fel y dywedodd un o'r athrawon wrthi pan holodd hi pam oedd y bechgyn wedi ymuno â'r genethod ar gyfer eu gwersi. Daeth Grasi i wybod y gwir am y cyfarfodydd hynny flynyddoedd wedyn, sef eu bod yn casglu enwau ar ddeiseb er mwyn ceisio dileu siarter Georgia a chyfreithloni caethwasiaeth yn y drefedigaeth. Methodd George Whitefield y tro hwnnw, wrth gwrs, ac er na ddeallai Grasi nes ei bod hi'n hŷn, dyna oedd y rheswm pam aeth ei ymweliadau â Bethesda'n gymharol brin; arhosai ar ei blanhigfa yn Ne Carolina y rhan fwyaf o'r amser pan nad oedd yn teithio.

Pan oedd Grasi'n bymtheg oed daeth y Parchedig Whitefield ar un o'r ymweliadau prin hynny. Gofynnodd hi a gâi siarad ag o ar ei ben ei hun ac felly daeth gwahoddiad iddi fynd i'w weld yn yr ystafell blaen a oedd yn swyddfa ac yn ystafell wely iddo. Eisteddodd hi yn y gadair o flaen ei ddesg, yn egluro'i bod hi'n gwybod am ei holl waith gwleidyddol yn America ac yn Lloegr. Disgrifiodd hi bopeth a wyddai am ei gynlluniau mewn manylder – ffrwyth ei chlustfeinio ar sgyrsiau oedolion yn ystod y blynyddoedd diwethaf, ei gwaith darllen a'i meddwl craff ei hun. Cochodd y dyn, ac yntau wedi'i daro gan syndod dros dro, ond ceisiodd gyfeirio'r sgwrs i thema gyfarwydd wedyn.

'Wel, Grasi, yn wir! Rwyt ti wastad wedi bod yn ferch mor glyfar.' Roedd am ddweud rhywbeth arall, ond torrodd hi ar ei draws, gan wneud iddo gochi eto.

'Ond pam? Pam? A chithau'n ddyn sy'n sôn cymaint am ddaioni, a chithau wastad wedi croesawu plant o dras Affricanaidd yma ac wedi'n trin yn gyfartal â'r plant gwyn? Pam?' Gwyddai fod dagrau'n cronni'n ei llygaid, peth anodd iddi gan nad oedd hi byth yn wylo o flaen pobl eraill.

Disgynnodd llen o dristwch dros wyneb y Parchedig Whitefield. Edrychodd i lawr, yn osgoi ei llygaid dagreuol. Pesychodd am yn hir, fel pe bai pwl drwg o asthma'n dwyn ei wynt. Cododd ei lygaid wedyn a syllu'n daer i'w llygaid hi.

'Grasi, er dy fod yn ferch ddeallus iawn, mae pethau am y byd nad wyt ti'n eu deall eto. Gwranda di yn ofalus a cheisiaf egluro. Yn gyntaf, dylet ti ddeall bod rhaid cael arian i oroesi yn y byd pechadurus hwn.' Cododd ei freichiau ar led a chwifio'i ddwylo ychydig, yn defnyddio un o ystumiau'i bregethau er mwyn cyfeirio at yr ystafell o'u cwmpas – y ddesg, y ddwy gadair, y gwely a'r silffoedd – ond mewn modd a oedd hefyd yn ei chymell i ddychmygu gweddill yr adeilad y tu hwnt i'r waliau hynny.

'Mae cynnal y lle hwn yn waith drud, Grasi! Nid yw trugaredd yn ddigon i gadw drysau Bethesda ar agor. Rhaid cael arian, llawer ohono fo, ac mae cynnyrch ein fferm yn dod â mwy o elw i ni na chrefftwaith y bechgyn a brodwaith y merched. Pe bai'n bosib cael gweision i weithio ar fferm Bethesda, byddai'r elw'n fwy hyd yn oed.'

'Caethweision rydych chi'n ei feddwl, nid gweision.'

Gwenodd yn dosturiol arni, fel pe bai'n gresynu bod hwyliau drwg annisgwyl wedi cydio ynddi yn y modd hwnnw.

'Pe bai'n bosib cael llafur o'r math hwnnw yma ym Methesda, Grasi, byddai'r elw'n fwy o lawer ac yna byddai'n haws o lawer i mi gynnal y cartref hwn ar gyfer plant amddifaid yn debyg i ti.' Pesychodd eto, y pwl yn waeth nag o'r blaen, a throdd ychydig yn ei gadair a hanner codi. Am eiliad meddyliai Grasi ei fod am godi a gorwedd ar y gwely y tu ôl i'w gadair, ond cafodd ei wynt ato eto. Gwisgai'i chwig gwyn arferol, un nad oedd mor fawreddog â chwigiau rhai o'r dynion cyfoethog a ymwelai â Bethesda weithiau, er ei fod yn fwy o beth na chwigiau'r athrawon gwrywaidd. Hongiai llabed i lawr yn isel dros ei glustiau ar bob ochr, y llabedi'n debyg o ran siâp i glustiau sbaengi. Cododd un bys a'i wthio o dan y llabed chwith er mwyn cosi'r glust go iawn a guddiai oddi tani. Ar ôl gorffen, plygodd ei ddwylo a'u pwyso ar y ddesg o'i flaen.

'Rwyf yn erfyn arnat ti i wrando arna i, Grasi. Fel y mae,

rwyf yn defnyddio elw fy mhlanhigfa yn Ne Carolina i helpu cynnal y lle hwn. Ond rwyf ar fy ngholled yn bersonol o'r herwydd, a rhaid i ti ddeall nad yw sefyllfa o'r fath yn deg.' Gostyngodd ei lygaid eto a chochi. 'Bydd ffermio yma yn fwy proffidiol o lawer pan fydd yn bosib i ni ddefnyddio'r un math o lafur.'

'Llafur caeth!' ebychodd Grasi gan beri iddo gochi eto. Ysgydwodd ei ben yn egnïol, y clustiau sbaengi gwyn yn fflapio fymryn a'r chwig yn symud ychydig ar ei ben.

'Na, na, na! Dwyt ti ddim yn deall. Mae hwn yn fyd amherffaith, ac felly mae'n rhaid ymddwyn mewn modd sydd yn ymddangos yn amherffaith weithiau mewn byd amherffaith. Llafur o'r math hwnnw yw'r unig ateb. Nid yn unig er mwyn sicrhau llwyddiant parhaol y fenter hon ym Methesda, ond hefyd er mwyn sicrhau llwyddiant llawer iawn o fentrau eraill yma yn Georgia. A dweud y gwir, credaf fod y ffeithiau'n dangos na fydd Georgia ei hun yn goroesi heb y newid hwnnw i'w chyfansoddiad a'i chyfreithiau. Ac yn wir, mae llawer o ddynion doeth yn meddwl yr un fath â fi ac yn credu na fydd yr holl drefedigaethau Americanaidd yn llwyddo yn y pen draw heb fanteisio ar lafur o'r math hwnnw.'

'Llafur caeth.' Cadarnhad tawel, nid ebychiad oedd y ddau air y tro hwn.

'Ie, os mynni di. Llafur caeth.' Cododd ei ddwylo a'u hysgwyd yn yr awyr, gan ddefnyddio un arall o ystumiau'i bregethau. 'Dyna'r gwirionedd. Rhaid wrth lafur caeth er mwyn llwyddo yma yn America. Mae Rhagluniaeth wedi arwain dynion o'r hen fyd dros y môr i'r byd newydd hwn, mae'n ddyletswydd arnom ni fel Cristnogion i sicrhau'n bod ni'n gwneud y gorau o'r llwybr y mae Rhagluniaeth wedi'i ddarparu ar ein cyfer. Dwyt ti ddim yn deall yr holl bethau hyn.'

Cododd Grasi o'i chadair yn ddisymwth, ei dwylo wedi'u cau'n ddyrnau o'i blaen, fel pe bai'n dal awenau ceffyl a oedd yn carlamu'n wyllt.

'Rwyf yn deall y pethau hyn yn dda iawn, Mister Whitefield.' Cododd hi law er mwyn sychu'r dagrau'n gyflym o'i llygaid. 'Peidiwch â phoeni am hynny. Rwyf yn deall y pethau hyn yn rhy dda.'

Trodd ar ei sawdl, cerdded at y drws a'i agor, ond oedodd ac edrych dros ei hysgwydd cyn camu dros y trothwy.

'Rydych chi'n gwybod yn iawn fy mod i'n deall y pethau hyn.'

Gadawodd yr ystafell, yn cau'r drws y tu ôl iddi gyda chlep galed, rhywbeth nad oedd wedi'i wneud yn fwriadol erioed yn ei bywyd. Achubodd ar y cyfle cyntaf a gafodd y prynhawn hwnnw i siarad ag Agnes a dweud ei bod am adael Bethesda ac esbonio pam na allai aros noson arall yn y lle.

'And what will I do then?' oedd cwestiwn ei ffrind.

'Tyrd efo fi,' cynigiodd Grasi. Roedd Agnes o dras Affricanaidd hefyd a gwyddai Grasi fod y darganfyddiadau wedi'i chynhyrfu hi.

'Beth wnawn ni? I ble yr awn ni?' Pan lefarodd ei ffrind y geiriau hynny gwawriodd ar Grasi na fyddai'n hawdd i ferched eu hoed nhw fyw ar eu pennau'u hunain. Roedd yn ymwybodol o'i chryfder a'i gallu ei hun ac felly nid oedd ofn mentro arni, ond sylweddolodd na fyddai'n deg nac yn ddoeth i ddarbwyllo Agnes i ddod efo hi.

'Aros di yma a gorffen dy addysg,' atebodd Grasi. 'Byddai'n well felly. Paid â phoeni amdana i. Gwn y bydda i'n iawn. Byddi di'n iawn hefyd, Agnes. Cawn gyfarfod eto ar ôl i ti adael Bethesda.' Gwelodd y dagrau'n rholio i lawr bochau Agnes a cheisiodd egluro mewn modd arall. 'Gwranda. Diolch i ti, dwi wedi mwynhau blynyddoedd fy mhlentyndod. Ond fedra i ddim ymgolli yn ein straeon ffantasïol am y lle hwn bellach. Dwi'n gwybod gormod am wir hanes Mister Whitefield, ac mae'r gwirionedd hwnnw'n rhy boenus.' Cododd law er mwyn sychu dagrau'i ffrind. 'Anfona i air atat ti bob hyn a hyn.'

'Sut?'

'Mi ga'i hyd i ffordd. Paid â phoeni.'

Ac felly ymadawodd Grasi yn nes ymlaen y noson honno. Disgwyliodd nes bod y merched eraill yn yr ystafell yn cysgu. Roedd yn rhyw feddwl bod Agnes yn gorwedd yn effro yn ei gwely wrth ei hymyl, ond roedd hi'n hollol ddistaw, yn gadael i'w ffrind wireddu'i chynllun. Roedd Grasi wedi rhoi ei dillad mewn sach a gosod honno o dan ei gobennydd yn ystod y prynhawn. Ar ôl llithro'n dawel o'i gwely, cododd y sach a dechrau symud yn araf.

Pan gyrhaeddodd droed ei gwely, plygodd a chodi'i sgidiau. Edrychodd i'r chwith ac i'r dde a gwenu wrth weld sgidiau'r merched eraill yn dwt wrth draed eu gwlâu nhwythau. Gwenodd Grasi: un o lawer o ddefodau bychain beunyddiol Bethesda na fyddai'n rhan o'i bywyd hi bellach. Pan gyrhaeddodd ddrws yr ystafell, oedodd er mwyn rhoi'r esgidiau yn yr un sach â'r dillad. Wedyn defnyddiodd ei llaw rydd i agor y drws. Bu'r gofalwr yn trin y bachau'n ddiweddar ac felly nid oedd y drws yn gwichian wrth ei agor, ond ni allai hi osgoi'r clic-clicied a ddaeth pan drodd ddwrn y drws. Gwingodd ychydig pan ddaeth y sŵn, a throdd i edrych ar y rhes o wlâu. Nid oedd arwydd bod neb wedi clywed, ond roedd Agnes yn eistedd i fyny, yn syllu'n dawel arni. Amneidiodd Grasi arni, yn ansicr a allai hi ei gweld yn y tywyllwch. Ond cododd Agnes law a'i chwifio ychydig. Er bod y cysgodion yn drwm, roedd Grasi'n sicr bod ei ffrind yn gwenu arni hi.

Gosododd y sach ar y llawr y tu allan i'r ystafell a defnyddio'i dwy law er mwyn cau'r drws mor dawel â phosib. Wedyn, cydiodd yn y sach a symudodd yn araf ar hyd y córidor, yn ceisio'n galed i sicrhau na fyddai pren y llawr yn gwichian o dan ei thraed noeth. Oedodd bob hyn a hyn a gwrando, rhag ofn bod un o'r oedolion wedi codi o'r gwely, ond ni chlywai smic. Roedd wedi bod yn cynllunio'i dihangfa'n ofalus; gan nad oedd yn bosib iddi agor drws mawr yr adeilad heb wneud tipyn o sŵn roedd wedi penderfynu mynd trwy'r capel bach. Tuedd athrawon a staff y cartref oedd gadael y drws yn agored trwy'r nos rhag ofn bod rhywun yn teimlo galwad i weddïo ac roedd Grasi wedi canfod y gallai agor un o'r ffenestri hirion heb wneud bron dim sŵn.

Plygodd trwy'r ffenest ar ôl ei hagor a gosod ei sach i lawr yn dawel y tu allan. Dringodd trwy'r adwy a gosod ei thraed ar y gwair oer. Roedd yn noson fwyn ond roedd cwmwl dros y lleuad ac felly nid oedd llawer o olau. Caeodd y ffenestr yn ofalus, ac wedyn plygodd ac agor y sach. Tynnodd ei choban nos a gwisgo'i dillad a'i sgidiau'n gyflym. Cerddodd yn gyflym ar draws y gwair a chyn hir roedd wedi diflannu yng nghysgod y coed. Teithiodd i'r gogledd-orllewin, i gyfeiriad hen bentref ei mam. Roedd y ffaith bod ei dihangfa mor hawdd a'i chynllun wedi'i saernïo mor llwyddiannus wedi rhoi hyder iddi a theithiodd gyda chalon ysgafn. Nid oedd ofn y byd mawr arni; y cwbl a oedd yn bwysig iddi oedd y ffaith ei bod hi'n gadael y cartref yn bell y tu ôl iddi.

Ni ddaeth yn ôl i Fethesda. Nid oedd yn anodd iddi gael hyd i ffordd o gadw mewn cysylltiad ag Agnes chwaith. Aeth ati i ddysgu pa fasnachwyr yn Safana a oedd yn prynu gwaith crefft plant Bethesda, a chytunodd un ohonynt, Levi Aarons, i drosglwyddo'u llythyrau nhw'n gyfrinachol. Nid oedd Grasi wedi gweld George Whitefield ond o bell ers y diwrnod hwnnw, ac er bod ei gwaith yn mynd â hi i sbio ar bob math o leoedd, roedd wedi osgoi mynd yn ôl i Fethesda gan fod y daith honno'n un boenus iddi. Gwyddai'r rhai a oedd yn cydweithio â hi mai dyna oedd ei hunig wendid. Beth bynnag, roedd eraill yng Ngwasanaeth Cyngor Safana a allai fynd i Fethesda pe bai'n rhaid. Roedd Grasi'n fwy na pharod i wneud gwaith peryclach. Roedd hi'n fodlon croesi'r ffin a theithio yn y trefedigaethau caeth. Roedd hi'n fodlon mynd i'r blanhigfa a elwid yn Rhagluniaeth.

Caeau Rhagluniaeth

CYRHAEDDODD GRASI YCHYDIG cyn hanner dydd. Llechai mewn coedlan ar gyrion y blanhigfa, yn disgwyl am ei chyfle, yn ceisio canfod y ffordd orau ymlaen. Manteisiodd ar y seibiant i estyn ychydig o gig carw sych o boced ddofn ei throwsus teithio llac a photel fach o'r boced arall. Cuddiai yn y brwgaets trwchus o dan ganghennau'r coed, yn astudio'r caeau ac yn cnoi'r cig yn araf. Yfodd lymaid o'r botel bob hyn a hyn, y dŵr yn blasu'n chwerw-felys oherwydd y perlysiau adnewyddol a oedd wedi'u trwytho ynddo. Astudiodd bob manylyn o'r olygfa.

Hwn oedd Providence Plantation. Y rhain oedd caeau Rhagluniaeth. Gwyddai fod indigo a reis yn tyfu mewn caeau eraill mewn rhannau eraill o'r blanhigfa, ond cotwm a welai yn y caeau hyn, pennau gwynion y planhigion yn britho'r rhesi a redai oddi wrthi. Gwelodd oruchwyliwr, y dyn gwyn yn eistedd ar gefn ceffyl. Casglodd Grasi fod y ceffyl yn sefyll ar lôn fach rhwng dau gae, er na allai weld y lôn oherwydd y cotwm yn y cae cyntaf. Roedd y dyn yn weddol bell i ffwrdd, ond roedd llygaid Grasi'n ddigon craff i weld bod ei wyneb yn binc o dan ei het wellt lydan. Daliai rywbeth ar draws blaen y cyfrwy ar wahân i awenau'r ceffyl ac roedd hi'n sicr mai chwip ydoedd. Gwelodd fod mwsged byr yn hongian mewn gwain o'r cyfrwy hefyd.

Astudiodd hi'r caethweision wedyn. Dynion a gwragedd o bob oed. Plant, rhai'n edrych mor ifanc â naw neu ddeg oed, yn plygu rhwng rhesi'r planhigion cotwm, yn gweithio gyda hof neu fforch chwynnu. Benyw ifanc oedd yr un agosaf ati, ei gwallt wedi'i dorri'n agos at ei phen, chwys yn sgleinio ar ei hwyneb, ei llygaid wedi'u hoelio ar ei gwaith. Roedd un arall yn weddol agos at ei chuddfan hefyd, dyn gyda het fawr flêr yn cysgodi'i wyneb crychog. Oedodd bob hyn a hyn er mwyn ymsythu, ei gefn yn amlwg yn brifo a rhyw olwg ar ei wyneb yn awgrymu'r boen a deimlai yn ei gorff. Yn hŷn o lawer na'i oed, casglodd Grasi. Sylwodd fod un fenyw ganol oed gyda sgarff amryliw am ei phen yn gloff, a bod un o'r plant lleiaf yn prysuro i'w helpu bob hyn a hyn wrthi iddi symud yn herciog rhwng y rhesi. Craffodd Grasi ar bob un, yn ceisio dychmygu pa fath o freuddwydion a goleddid gan y caethweision a lafuriai yng nghaeau Rhagluniaeth.

Ar ôl gorffen astudio'r olgyfa, eisteddodd Grasi yn ofalus heb wneud sŵn gan sicrhau na allai neb ei gweld. Byddai'n rhaid iddi ddisgwyl am dipyn, a doedd hi ddim am wastraffu ei nerth. Ni allai weld y cae o'i chuddfan newydd, ond gallai glywed, a byddai'i chlustiau'n dweud digon wrthi. Ni chlywai ddim byd anarferol. Sŵn yr offer metel yn tyrchu yn y pridd wrth i'r caethweision ddadwreiddio chwyn. Ambell ochenaid, ambell un yn melltithio dan ei wynt. Sŵn gwaith caled o dan haul didrugaredd. Sŵn carnau'r ceffyl yn symud bob hyn a hyn wrth i'r goruchwyliwr fynd i fyny ac i lawr y lôn rhwng y caeau, yn sicrhau bod yr holl gaethweision a lafuriai yn y rhan hon o'r blanhigfa yn gwybod ei fod yn eu gwylio.

Bu tad Grasi yn gaethwas yn Ne Carolina. Roedd ymysg

y rhai a gyfododd mewn gwrthryfel, un o ddilynwyr y dyn a elwid yn Jemmy gan rai ac yn Cato gan eraill. Bu yn y frwydr â milisia De Carolina pan laddwyd Jemmy a'r lleill, ond llwyddodd i ddianc. Gosododd y dynion gwyn bennau'r caethweision gwrthryfelgar ar byst ar hyd lonydd De Carolina, ond dihangodd tad Grasi dros y ffin i dir Georgia. Bu farw mewn brwydr arall cyn i Grasi gael ei geni ac roedd Grasi'n rhy ifanc pan fu farw ei mam i ddysgu am eu carwriaeth, ond clywodd rai pethau gan bobl eraill, ac felly gwyddai fod ei thad wedi gweithio ar blanhigfa debyg i hon. Cododd llais bach y tu mewn iddi yn dweud y dylai helpu'r caethweision hyn. Gallai ymgropian trwy'r rhesi o gotwm a chael sylw un neu ddau ohonyn nhw. Sibrwd iddyn nhw, trosglwyddo cyfarwyddiadau. Dweud y dylen nhw gyfarfod â hi yn y goedlan honno ar ôl i'r haul fachlud. Gallai eu tywys dros y ffin i dir Georgia a rhyddid. Ond cododd llais arall y tu mewn iddi. Callia di, meddai. Canolbwyntia ar dy waith. Nid wyt ti yma i ryddhau un neu ddau o bobl ond i helpu sicrhau bod llawer iawn o bobl yn parhau'n rhydd. Felly eisteddodd yng nghysgodion y coed am yn hir, yn gwrando ar synau'r caethweision yn y caeau.

Pan oedd yr haul ar fachlud a'r cysgodion yn hir, canodd corn rywle yn y pellter. Nid offeryn cerddorol ond rhywbeth yn debyg i gorn hela, yn canu un nodyn hir anwastad. Clywodd Grasi synau gwahanol wedyn, y caethweision yn ysgwyddo hof neu fforch chwynnu, yn siarad yn dawel ymysg ei gilydd wrth iddyn nhw adael y caeau a mynd am eu swper.

'Thank the Lord that this day is done,' dywedodd un fenyw yn weddol uchel. Cyfarthodd y dyn gwyn o gefn ei geffyl,

'You there! Move along now!'

Defnyddiodd y fenyw gloff goes y teclyn fel ffon gerdded a

chydiodd y plentyn yn ei braich arall er mwyn ei helpu wrth iddyn nhw symud i ffwrdd.

Arhosodd Grasi ychydig eto, yn gwrando wrth i synau'r bobl fynd yn bellach oddi wrthi fesul tipyn. Roedd sŵn y pryfed yn uchel, y sicadâu a'r criciaid yn canu i'r noson a oedd yn disgyn yn gyflym. Cyn hir, dim ond trydar ac yswitio'r pryfed a glywai. Cododd o'i heisteddle. Edrychodd yn ofalus trwy'r brwgaets. Doedd neb yn y caeau. Symudodd Grasi yn dawel, yn gosod un droed i lawr yn ofalus ac wedyn un arall, yn sicrhau na fyddai brigau a dail crin yn crensian ac yn tynnu sylw.

Aeth yn araf, yn craffu ar y tir o'i chwmpas, yn astudio'r caeau ond yn cadw yng nghysgodion y coed. Ar ôl teithio felly am yn hir, gwelodd lôn bridd gul. Aeth yn nes a gweld bod ffos rhwng y lôn a'r cae. Aeth ar ei phedwar a disgwyl. Edrychai. Gwrandawai. Neb. Llithrodd o gysgodion y goedlan i'r ffos. Bu'n sych iawn yn ddiweddar, ac felly doedd dim dŵr ynddi, ond roedd y gwair trwchus a dyfai ar waelod y ffos yn tystio i'r ffaith ei bod yn ddigon gwlyb fel arfer. Gorau oll. Roedd y gwair yn dawel dan ei thraed ac yn ei galluogi i symud yn gyflymach.

Aeth hi'n gyflym, yn rhedeg yn ei chwrcwd ar hyd y ffos. Cyrhaeddodd y pen, sef croesffordd, gyda'r naill lôn yn cyfarfod â lôn arall. Dyma'r lôn y bu'r goruchwyliwr yn ei defnyddio i symud yn ôl ac ymlaen rhwng y caeau. Gwelodd Grasi olion carnau yn y pridd ac ambell domen o faw ceffyl. Oedodd hi, yn gwrando. Edrychodd i'r dde ac i'r chwith. Cododd a rhedeg ar draws y lôn i ffos arall yr ochr draw, llwybr arall rhwng rhagor o gaeau. Ac felly ymlaen yr aeth, yn rhedeg yn ei chwrcwd, yn symud yn gyflym trwy'r caeau. India-corn, nid cotwm, oedd yn y caeau olaf, a'r cnydau'n ddigon uchel i'w chuddio hi, felly ni fu'n rhaid iddi barhau i gyrcydu wrth redeg.

Yn nesaf, bu'n rhaid iddi symud heibio i gabanau'r caethweision, y cytiau bach pren wedi'u trefnu mewn dwy res hir ar hyd un arall o'r lonydd pridd. Oedodd, ac aeth yn isel unwaith eto, yn cuddio yn niwedd y ffos olaf. Clywodd lais. Cododd ei phen ddigon i weld. Craffodd ond ni welodd neb. Gwrandawai. Llais benyw oedrannus, yn canu iddi'i hun, mae'n debyg. Yn eistedd yn nrws un o'r cabanau na allai eu gweld, efallai.

Cododd Grasi a symud, yn ei chwrcwd unwaith eto, yn mynd yn gyflym heibio cefnau'r cabanau a oedd agosach at y plasty. Daeth hi at stabl wedyn, a gwyddai mai stabl ar gyfer y ceffylau gwedd ydoedd; roedd un arall ar ochr arall y plas ar gyfer ceffylau cert a marchogaeth. Arhosodd yn ymyl cornel yr adeilad pren, yn cuddio y tu ôl i gasgen ddŵr, yn astudio'r olygfa o'i blaen. Clywodd synau'r anifeiliaid mawr am y wal â hi, ambell un yn symud ychydig yn ei stâl. Astudiodd yr olygfa o'i blaen: roedd ychydig o wair uchel rhyngddi hi a'r gwrych. Yn wahanol i'r gwair nad oedd wedi'i dorri trwy'r haf, roedd y llwyni wedi'u tendio'n ofalus gan arddwr da. Gwenodd wrthi'i hun: roedd yn union fel y disgrifiad a gafodd. Gallai weld muriau gwyn y tŷ mawr yn codi y tu hwnt i'r llwyni twt o'i blaen.

4

Yn y Tŷ Mawr

A R ÔL CYRRAEDD y gwrych, aeth Grasi ar ei bol a gwasgu oddi tano. Symudodd yn araf, yn ymlusgo fel neidr, nes cyrraedd adwy yn y llwyni. Llwyddodd i lithro ymlaen ychydig trwy'r adwy er mwyn gweld y tŷ yn well ond heb adael y cysgodion.

Gorweddai yno, yn syllu. Rhwng y gwrych a'r tŷ roedd rhyw ddeg llath o lawnt – y glaswellt wedi'i dorri'n dwt, yn wahanol i'r gwair uchel y tu ôl iddi. Hwn oedd Plas Profidens, cartref George Whitefield. Gwyddai Grasi fod rhes o golofnau mawr gwyn yn addurno tu blaen y plasty, ond roedd hi'n syllu ar y wal gefn a oedd yn gymharol ddiaddurn. Yn union fel y disgrifiad a gafodd, roedd un drws bach yn y wal hon. Hwn oedd y drws, y fynedfa a ddefnyddid gan y caethweision a weithiai yn y tŷ mawr.

Gwelodd rywun. Dyn, yn cerdded rownd cornel y tŷ. Roedd ganddo fwsged ar ei ysgwydd a cherddai gyda manwl gywirdeb milwr, er nad oedd yn gwisgo lifrai, dim ond dillad syml a het drichorn ddu. Gwarchodwr, yn cerdded o gwmpas y tŷ. Dechreuodd Grasi gyfrif yr eiliadau. Cerddodd y dyn heibio iddi ac aeth ymlaen, yn araf ac yn bwyllog. Cyrhaeddodd y gornel arall, troi, a diflannu o'i golwg. Cyfrifai Grasi, yr eiliadau'n tician yn ei phen, ac er bod y sicadâu a'r criciaid yn canu'n uchel erbyn hyn, ni chollodd ei chyfrif. Ymddangosodd y dyn eto pan gyrhaeddodd hi 228. Cymerai ryw dair munud a hanner iddo gerdded o amgylch yr adeilad mawr. Craffodd ar hynny o'r wyneb y gallai hi'i weld yn y tywyllwch. Hwn oedd o, yr un dyn. Roedd un gwarchodwr yn cerdded o amgylch y tŷ. Yn union fel yr oedd hi wedi'i ddisgwyl. Gwyddai y byddai pedwar arall yn sefyll o flaen y colofnau mawr ar ochr arall yr adeilad. Byddai rhai eraill y tu mewn i'r plasty hefyd, ond nid yn agos at y drws cefn hwn a arweiniai at y ceginoedd.

Disgwyliodd Grasi i'r gwarchodwr ymddangos eto. Daeth, cerddodd ymlaen yn filwrol-fanwl yn yr un modd, a diflannodd o'i golwg eto. Cododd Grasi'n araf, yn edrych o'i chwmpas. Neb. Rhuthrodd yn dawel ar draws y deg llath o laswellt at y drws bach yn wal gefn y plasty. Cododd ei llaw a chrafu'r drws – nid curo, nid cnocio, ond crafu, gan ddynwared y sŵn y byddai ci neu gath yn ei wneud er mwyn cael sylw rhywun ar ochr arall y drws. Ni fu'n rhaid iddi aros mwy na chwpl o eiliadau: agorwyd y drws yn dawel gan gaethwas ifanc a oedd yn gwisgo dillad o ansawdd – crys gwyn, crafat coch a wasgod o frethyn tywyll. Dillad 'gwas tŷ', fel y gelwid y caethweision hyn gan eu perchnogion, dillad gwahanol iawn i'r carpiau a wisgai'r rhai a lafuriai yn y caeau. Llithrodd Grasi trwy'r drws yn gyflym.

Roedd mewn córidor cul, tywyll, y waliau wedi'u gwneud o ystyllau pren syml a diaddurn, a'r llawr caled wedi'i wneud o lechi trwchus. Clywodd sŵn. Na, synau. Cegin brysur am y wal â hi – sosbenni'n clancian, llais cogydd yn galw am rywbeth. Nid oedd gan y dyn ifanc a agorasai'r drws gannwyll na llusern yn ei law, ond ymaddasodd llygaid Grasi'n gyflym. Gallai weld yn ddigon da i beidio â baglu drosto fo wrth iddo ei thywys i lawr y córidor ac i'r dde trwy ddrws agored. Er bod

Grasi'n gymharol fyr, bu'n rhaid iddi blygu'i phen cyn camu trwyddo. Roedd fel camu i mewn i gwpwrdd, bron. Gwelodd eu bod yn sefyll ar waelod grisiau cerrig cul, ychydig bach o olau'n llifo i lawr o dop y staer. Gan fod y gofod mor gyfyngedig, roedd y ddau wedi'u gwasgu ynghyd, ond gwasgodd y dyn ifanc hyd yn oed yn agosach ati er mwyn gosod ei geg yn ymyl ei chlust.

'*This is it,*' sibrydodd. '*Are you sure you want to do this?*' Gallai glywed yr ofn yn ei lais. Ceisiodd ei gysuro gyda'r sicrwydd yn ei llais hithau pan sibrydodd ei hateb.

'Ydw, dwi'n siŵr.' Oedodd, yn gosod llaw ar ei fraich er mwyn pwysleisio'i thaerineb. 'Ond yn gyntaf, trosglwydda'r holl wybodaeth sydd gen ti. Popeth rwyt ti'n ei wybod. Rhag ofn.'

'Rhag ofn?'

'Rhag ofn na cha'i gyfle i siarad â thi eto cyn mynd o'ma.'

'O'r gorau'. Edrychodd y tu ôl iddo, yn sicrhau'i hun nad oedd neb wedi dod i'r córidor, ac wedyn gwasgodd ei wefusau'n agos at ei chlust eto.

'Dychwelodd Mister Whitefield o Loegr wythnos yn ôl. Roedd nifer o gistiau rhyfedd ymysg ei fagiau teithio arferol.' Cododd law a dechrau tynnu ar ei grafat, fel pe bai'n rhy dynn am ei wddwf. 'Mae negeswyr wedi bod yn mynd a dod ers hynny, mwy o lawer na'r hyn sy'n arferol pan fydd Mister Whitefield yma.' Oedodd, yn casglu'i feddyliau ac yn tynnu ar ei grafat o hyd, cyn parhau â'r sibrwd. 'Mae rhai dynion arfog wedi dod hefyd, ac mae rhai'n siarad iaith arall ymysg ei gilydd.'

'Pa iaith?' holodd Grasi, yn torri ar draws y llifeiriant o wybodaeth.

'*Dutch, maybe,*' dywedodd, yn siarad yn gyflymach eto, 'mae rhyw acen felly ar eu Saesneg hefyd, ond mae'n anodd bod yn siŵr. Dydyn nhw ddim yn siarad llawer pan maen nhw ar ddyletswydd. Dydyn nhw ddim yn siarad â ni ac mae'n amhosib tynnu sgwrs â nhw.' Pesychodd yn dawel, yn clirio'i wddwf. 'Dechreuodd rhai o'r gwesteion gyrraedd ddoe. Cyrhaeddodd y gweddill heddiw. Dynion. Mae'n amlwg bod y rhan fwyaf yn weinidogion. Dwi wedi gweld nifer ohonyn nhw yma o'r blaen. Ond mae llawer wedi dod ynghyd y tro hwn. Cyfarfod o'r Synod ydi o, mae hynny'n sicr. Dwi wedi clywed y gair "confocasiwn" nifer o weithiau.'

Seibiodd a chlirio'i wddwf eto. Aeth ymlaen wedyn, yn egluro beth fyddai'n digwydd i fyny'r grisiau. Dywedodd fod y dynion wrthi'n bwyta mewn ystafell fawr arall ym mhen arall y plasty, ond bydden nhw'n symud i'r ystafell ar dop y grisiau ar ôl gorffen eu swper. Bu wrthi gyda nifer o'r caethweision tŷ eraill yn trefnu'r ystafell ar gyfer darlith.

'And that's all I know.' Gorffennodd gyda'r geiriau hynny, ei lais yn gryg ar ôl yr holl sibrwd.

'Diolch,' sibrydodd Grasi. 'Dos rŵan, cyn i rywun sylwi ar dy absenoldeb.' Trodd hi wedyn a dechrau dringo'r grisiau. Diolch byth mai carreg ydyn nhw, meddai llais y tu mewn iddi; byddai pren yn gwichian ac yn tynnu sylw. Cyrhaeddodd dop y staer mewn ychydig o eiliadau. Gwelodd fod wal bren o'i blaen, yr estyll yn amlwg yn denau, ac ychydig o olau'n llifo i mewn rhyngddyn nhw. Craffodd. Drws ydoedd, nid wal, yn union fel yr oedd wedi'i ddisgwyl. Roedd yr holl wybodaeth a gafodd cyn cychwyn ar ei thaith wedi'i brofi'n gwbl gywir. Diolch byth. Dyma ddrws pren bychan a ddefnyddid gan y 'gweision' er mwyn mynd â bwyd o'r gegin a diod o'r wingell i'r ystafelloedd ar y llawr hwn. Roedd meistr yn disgwyl i'w gaethweision tŷ ymddangos yn dawel, gweini'n dawel, a diflannu'n dawel. Caeodd Grasi ei llygad chwith a symudodd ei llygad dde yn agos at un o'r craciau. Gallai weld trwyddo'n iawn. Daeth yn ymwybodol o rai synau – dynion yn siarad ac yn chwerthin rywle ym mhen arall yr adeilad mawr.

Astudiodd yr ystafell, yn defnyddio un o'r craciau bach rhwng yr estyll ac wedyn un arall. Gallai weld tipyn go lew ohoni felly. Ystafell fawr iawn ydoedd, un y gellid ei disgrifio fel neuadd, bron, gyda llusernau olew cain yn hongian o'r nenfwd ac yn ei goleuo'n dda. Roedd cadeiriau wedi'u gosod mewn rhesi, eu cefnau at y drws cudd a Grasi, y seti'n wynebu bwrdd ym mhen pellaf yr ystafell. Gwelodd fod darllenfa wedi'i gosod yng nghanol y bwrdd – pulpud bach ar gyfer pregeth neu araith neu ddarlith – ac roedd nifer o gistiau duon ar y bwrdd ar bob ochr i'r ddarllenfa, pob un yn faint ac yn siâp gwahanol. Cododd Grasi ar flaenau bysedd ei thraed er mwyn ceisio'u hastudio'n well. Tua'r un maint â bocs het boneddiges oedd y mwyaf ohonynt, un yn grwn a rhai'n siapau geometrig eraill – un yn hecsegon, efallai, ac un o bosib yn octagon. Roedd rhai ohonynt yn hirsgwar hefyd.

Cynyddodd y synau. Drysau'n agor, sŵn traed, llawr pren yn gwichian, lleisiau'n dod yn nes. Daeth sŵn o fath gwahanol wedyn; er na allai hi weld y rhan honno o'r ystafell, gwyddai fod drws trwm wedi'i agor. Roedd fel pe bai argae wedi'i dorri a'r dŵr yn llifo'n rhydd, gan fod yr holl leisiau i'w clywed yn uwch ac yn gliriach gydag agoriad y drws hwnnw, ambell lais yn chwerthin, yn mwynhau stori ddigrif ar ôl swper, ac eraill yn siarad yn ddifrifol ymysg ei gilydd. Clywodd sŵn traed ar y llawr pren ac roedd waliau'r ystafell yn atseinio. Gwelodd un o'r dynion, ac wedyn gwelodd un arall. Cotiau duon a chwigiau gwyn syml ar eu pennau – dim ond cefnau'r dynion y gallai hi eu gweld, gan eu bod wedi troi ar ôl cerdded i mewn i'r ystafell er mwyn mynd i eistedd yn y cadeiriau yn y rhesi blaen. Dyna un arall, yn wahanol i'r lleill gan ei fod yn gwisgo ffrog-gôt foethus, y melfed yn gochaidd ac yn sgleiniog, y chwig yn hwy ac yn fwy na'r lleill. Deuai rhagor o ddynion, yn anelu am y cadeiriau yn y rhesi blaen fel y lleill, a Grasi'n methu â gweld yr un wyneb. Cododd ar flaenau bysedd ei thraed eto, yn craffu, yn ceisio canfod manylion a fyddai'n ei galluogi i adnabod rhai ohonyn nhw.

A dyna rywun yn cerdded yn syth o flaen ei llygaid, ei wyneb crwn wedi'i eillio'n lân, chwys ar ei dalcen. Nid oedd hi'n ei adnabod, ond byddai'n cofio'r wyneb. A dyna un arall, ei wyneb yn gyfarwydd y tro hwn – y Parchedig Jonathan Mason o Ogledd Carolina. Dyn byr nad oedd hi'n ei adnabod wedyn, ei wyneb yn neilltuol o welw a'i drwyn yn hir ac yn fain. Yn nesaf daeth wyneb hardd y Parchedig Simon Lee o Virginia. Ar ôl iddo fynd i chwilio am gadair, camodd rhywun arall at y wal ac oedi yno; roedd yn sefyll yn syth o flaen llygaid Grasi, ac yn wahanol i'r lleill roedd fel pe bai'n edrych ar y wal yn hytrach na cherdded heibio. Sicrhaodd Grasi nad oedd hi'n anadlu'n uchel. Ni symudodd flewyn chwaith. Nid oedd ond troedfedd ac ychydig o estyll pren tenau rhyngddi hi a'r dyn hwn. Ond roedd yn amlwg nad oedd yn gwybod am y drws cyfrinachol yn y wal; yn hytrach, roedd y dyn wedi troi'i gefn ar yr ystafell er mwyn twtio'i ddillad. Symudai'i ddwylo'n drwsgl, fel pe bai'n ceisio cau botymau'i falog neu waelod ei wasgod. Roedd ei chwig gwyn yn gam, a gallai Grasi weld ychydig o wallt du sgleiniog oddi tano. Tebyg oedd y blewiach du ar ei wyneb. Nid barf a mwstásh, ond llen o flewiach yn bradychu'r ffaith nad oedd wedi eillio'r diwrnod hwnnw. Wyneb golygus ar un adeg efallai, ond roedd y dyn canol oed wedi magu gormod o bwysau dros y blynyddoedd, ac roedd ei fochau a'i drwyn yn goch iawn – ac yn edrych yn gochach oherwydd y gwrthgyferbyniad â'r blewiach a wnâi i ran isaf ei wyneb edrych yn dywyll. Safai yno am yn hir, ychydig yn ansicr ar ei draed ac yn amlwg yn cael twtio'i ddillad yn waith anodd. Roedd yn feddw, casglodd Grasi. Roedd y meddwyn wedi sylwi'i fod wedi gwneud llanast o'i ddillad yn ystod y pryd bwyd ac wrthi'n ceisio ymdrwsio cyn eistedd.

Clywodd Grasi ddynion eraill yn cerdded heibio ac yn cymryd seti yn y rhesi cefn, ond ni allai eu gweld gan fod y meddwyn yn cymryd mor hir i dwtio'i ddillad. Sylwodd fod awyrgylch yr ystafell wedi newid. Roedd y dorf yn ymdawelu. Wrthi'n ailosod ei chwig gwyn ar ei ben oedd y dyn meddw, yn gwneud ei orau i'w gael yn ei le heb gymorth drych, ond sylwodd yntau fod beth bynnag a oedd yn digwydd yn yr ystafell honno ar fin digwydd. Trodd yn gyflym, a symudodd yn afrosgo, yn rhuthro i eistedd mewn cadair wag yn y rhes olaf.

Yna, gwelodd Grasi fod ffurf gyfarwydd yn sefyll y tu ôl i'r ddarllenfa ym mhen arall yr ystafell fawr, dyn yr oedd hi'n ei adnabod yn dda. Roedd yn hŷn ac roedd ei wyneb wedi tewychu, ond ei wyneb o ydoedd, ei big o drwyn fel pe bai'n anelfa ar gyfer ei lygaid taer. Gwisgai'r un math o chwig gwyn ag erioed, yr ochrau'n hongian i lawr yn isel fel clustiau sbaengi. Cyflymodd calon Grasi, ton o deimladau a rhuthr o atgofion yn drech na'i hunanreolaeth arferol am ennyd.

Sŵn! Traed ar y grisiau cerrig y tu ôl iddi! Trodd Grasi yn gyflym, ei chyhyrau'n dynn, yn barod i neidio a tharo pe bai'n rhaid. Rhyddhad: y fo oedd, yr un dyn ifanc a oedd wedi'i gadael i mewn i'r tŷ mawr. Roedd yn tynnu'n nerfus ar ei grafat ag un llaw ac yn chwifio'i law arall, yn arwyddo. Deallodd Grasi. Rhaid mynd ar frys. Wrth iddi hi ei ddilyn i lawr y grisiau, clywodd lais uwch ei phen, llais cryf yn annerch y dorf yn yr ystafell ymgynnull.

'*Friends!*' Llais cyfarwydd, yn dechrau anerchiad mewn modd cyfarwydd. '*Brethren!*' Llais nad oedd hi wedi'i glywed ers peth amser.

'*It is a pleasure and an honour to proclaim that the Methodist Synod of America is in session.*' Ei lais o ydoedd. Llais George Whitefield.

Oedodd y dyn ifanc ar waelod y grisiau er mwyn cydio yn ei braich a hisian yn ei chlust. '*Go! They're coming!*' Roedd ei lais yn crynu ac roedd yn anodd iddo siarad yn dawel. 'Maen nhw'n dod! Maen nhw'n chwilio'r ceginoedd a'r coridorau cefn. Dos! Rŵan!'

Pan symudodd y dyn ifanc allan o waelod y grisiau i'r córidor, aeth i'r dde er mwyn sefyll rhwng Grasi a phwy bynnag oedd yn dod. Nid oedd ganddi amser i oedi a diolch iddo, ac felly rhedodd Grasi i lawr y córidor cul at y drws. Ond cyn iddi gyrraedd roedd golau'n llifo o'r tu cefn iddi, golau symudol a ddywedai fod rhywun yn dal llusern neu fflam o ryw fath.

'*You there!*' Llais dyn yn gorchymyn. 'Y ddau ohonoch chi! Arhoswch!' Rhoddodd Grasi ei llaw ar ddolen y drws, ond trodd ei phen wrth ei agor er mwyn edrych y tu ôl iddi. Safai'r dyn ifanc gyda'i freichiau ar led, ei ddwylo wedi'u gwasgu yn erbyn waliau'r córidor cul fel pe bai'n ceisio'i chuddio hi. Gwelai silowét dau neu dri dyn y tu ôl iddo, llusern yn nwylo un ohonyn nhw. Sgrechiodd y dyn ifanc arni.

'Dos!'

Aeth Grasi. Rhedodd ar draws y lawnt at y gwrych. Cyrhaeddodd y gwair uchel ar yr ochr arall a rhedodd ymlaen.

Clep! Ergyd mwsged neu bistol. A sŵn arall – sgrech, y llais yn gyfarwydd ond y sŵn yn ddieiriau. Wrth iddi redeg trwy'r nos, teimlodd Grasi rywbeth yn tynhau y tu mewn iddi; roedd yn deimlad cyfarwydd, rhyw gyfuniad o ddicter a galar. Dos, meddai hi wrthi'i hun. Rheda. Canolbwyntia ar dy waith. Daw amser i alaru wedyn. Rhedodd Grasi. Rhedodd, a diflannodd yng nghysgodion y nos.

5

Y Tu Ôl i'r Drws Coch

'*THA THU FADALACH.*' Dyna a ddywedodd Eachann pan agorodd y drws mawr coch a'i gweld hi'n sefyll yno. 'Rwyt ti'n hwyr'. Er bod y geiriau Gaeleg yn swnio fel cerydd, dywedai gwên lydan y cawr o ddyn mai dyna oedd ei ffordd o'i chroesawu hi. Symudodd Eachann er mwyn gadael i Grasi frysio dros y rhiniog. Edrychodd trwy'r drws wedyn, ei lygaid yn cribinio'r palmant, Stryd Efrog a Sgwâr Persifal. '*Chan eil duine ann,*' meddai Grasi. 'Does neb yno.'

Caeodd Eachann y drws a oedd wedi'i baentio'n goch y tu mewn fel yr oedd y tu allan. Ymddangosai'r dyn fel cymeriad chwedlonol yn ymyl Grasi. Roedd hi'n gymharol fyr a thenau beth bynnag, ond roedd yr ucheldirwr yn saith troedfedd o daldra, ei ysgwyddau cyhyrog bron mor llydan â'r drws coch y tu ôl iddo. Roedd Albanwyr Georgia'n ei alw'n Eachann Mòr, a dyna ydoedd – Eachann Mawr. Safai uwchben unrhyw dorf, ei ben mawr yn hollol foel a barf ddu drwchus yn cuddio rhan isaf ei wyneb. Gwisgai drywsus llwyd syml a chrys cotwm gwyn, gyda dagr hir yn hongian mewn gwain o'i wregys – nid cyllell gyffredin, ond *biodag*, un o arfau rhyfel yr ucheldirwyr.

'Yndw, dwi'n hwyr,' meddai Grasi'n ddidaro, yn gwenu ar y cawr yn ei hymyl. 'Ond o leiaf dwi yma.' Gwenodd Eachann Mòr, cochni'n lliwio'i fochau uwchben blew du gwrychog ei farf. Pan siaradodd, roedd awgrym o emosiwn yn ei lais dwfn. 'A dwi'n ofnadwy o falch dy fod wedi dychwelyd i Safana'n saff, Grasi.' Estynnodd bawen fawr o law a chydio yn ei llaw fach hi. Gwasgodd hi ei law yntau unwaith cyn ei thynnu i ffwrdd, yn difrifoli.

'Mae gen i newyddion, ond nid newyddion da.' Amneidiodd Eachann Mòr, ei wên o'n diflannu hefyd. 'Dos, 'te,' meddai, gan godi'i law fawr a'i hanelu at ben pella'r cyntedd. Gwenodd Grasi unwaith eto, a dechreuodd gerdded ar hyd y córidor.

Aeth heibio'r drysau pren sgleiniog a'r tapestrïau gyda'u lliwiau cyfoethog, y patrymau gwyrdd tywyll, melynwyrdd a brown yn darlunio coedwigoedd ffantasïol gydag anifeiliaid rhyfedd yn ciledrych trwy'r canghennau yma ac acw. Aeth Grasi at y drws olaf ar y chwith a'i agor heb guro na galw gyntaf.

Roedd y bwrdd hir yn llenwi'r rhan fwyaf o'r ystafell, ei bren derw wedi'i loywi nes ei fod yn disgleirio fel drych tywyll. Nid oedd dim ar y bwrdd ar wahân i ddau ganhwyllyr mawr arian, chwech o ganhwyllau wedi'u cynnau ym mhob un. Rhyngddynt a chanhwyllau'r siandelïer a hongiai o'r nenfwd, roedd yr ystafell wedi'i goleuo'n dda. Er bod lle tân mawr yng nghanol y wal ar y chwith, nid oedd y coed ynddo wedi'u tanio, ac roedd y llenni ar ffenestri'r wal gyferbyn wedi'u cau'n dynn. Cuddid gweddill y waliau gan silffoedd llyfrau.

Gwyddai Grasi heb ymdrafferthu i'w cyfrif fod deg cadair gefnuchel o gwmpas y bwrdd, pedair ar bob ochr ac un ar bob pen. Yn y gadair wrth y pen pellaf, yn wynebu Grasi wrth iddi ddod trwy'r drws, roedd perchennog y tŷ, Fearchar MacGilleBhràth, ei wallt coch cyrliog yn disgyn yn hir i'w ysgwyddau. Yn debyg i'w farf goch fer, roedd tipyn o wyn yn ei wallt, yn dangos ei oed fel y crychau o gwmpas ei lygaid glas. Roedd ei ddillad bron mor syml ag eiddo'i lefftenant, Eachann Mòr, ond gwisgai sash o frethyn coch dros un o'i ysgwyddau. Er na allai'i weld, gwyddai Grasi fod ganddo ddagr hir – *biodag* – ar ei wregys yntau. Hongiai'i arfau eraill uwchben y lle tân – mwsged hir, dau bistol a'r *claidheamh-mòr*, cleddyf mawr nodweddiadol yr ucheldirwyr, ei lafn yn llydan a'i garn ar ffurf cawell fach fetel gain.

Eisteddai pobl yn y cadeiriau ar hyd ochrau'r bwrdd hefyd, pob wyneb yn gyfarwydd iawn i Grasi. Ar law chwith Fearchar MacGilleBhràth roedd Amos Hawkins, ei ben yn moeli yn y canol a'r croen yn goch, y gwallt a hongiai o gwmpas ei glustiau mor wyn â'i farf flêr. Daethai'r hen Sais i lannau Georgia fel gwas caban pan oedd yn fachgen ifanc, a hynny cyn i'r ymsefydlwyr godi tai cyntaf Safana. Arhosodd yn hytrach na dychwelyd i Loegr, a chafodd waith ar y llestri bychain a hwyliai ar hyd yr arfodir yn cysylltu Safana â chymunedau eraill yn y trefedigaethau Prydeinig eraill. Ond ers blynyddoedd roedd yn berchennog ac yn gapten ar ei long ei hun, y *Seraphim Rose*, sgwner gyflym a oedd yn ddigon bach i dramwyo'r sianelau bas yn ymyl ynysoedd yr arfordir ac yn ddigon praff i hwylio trwy donnau'r môr agored. Pan nad oedd yn hwylio, gwelid y llong fach enwog wrth angor yn ymyl Ynys Hutchinson yn afon Safana, gyferbyn â dociau'r ddinas. Y cabin bach ar ei long oedd unig gartref Amos Hawkins. Er ei fod yn ddyn byr iawn, roedd ei ysgwyddau'n llydan a'i freichiau'n hir ac felly ymddangosai fel dyn mawr pan oedd yn eistedd.

Ar law chwith Capten Hawkins eisteddai Warri Jekri. Un o'r Itsekiri ydoedd, wedi'i gipio o lannau'r afon Niger pan oedd yn ddyn ifanc, ei gludo dros y môr, a'i werthu'n gaethwas yn un o farchnadoedd Charleston. Dihangodd rai blynyddoedd wedyn a chroesi'r ffin o Dde Carolina i Safana. Penderfynodd aros yn America a helpu caethweision eraill i ddianc yn hytrach na dychwelyd i'w gartref yn Affrica. Clywsai Grasi lawer o straeon am ei ddewrder a'i ddyfeisgarwch, gan gynnwys stori'n egluro bod y graith hir a redai o gornel ei lygad i lawr ei foch dde'n dyst i sgarmes pan ddihangodd o gaethiwed flynyddoedd yn ôl. Y fo oedd pennaeth y patrolau arfog a wnâi'r gwaith na allai cwnstabliaid swyddogol Georgia ei wneud.

Yr agosaf at Grasi ar yr ochr honno oedd Mordecai Sheftall, dyn ar ganol ei dridegau, ei wyneb wedi'i eillio'n lân a'i wallt yn fyr; yn ogystal â bod yn fasnachwr llwyddiannus roedd wedi ennill enw fel un o swyddogion galluocaf milisia Georgia. Eisteddai'i fam, Perla Sheftall, rhyngddo fo a Warri Jekri, boned wen seml wedi'i thynnu dros ei gwallt. Bu Perla Sheftall a'i diweddar ŵr, Benjamin, ymysg arweinwyr yr Iddewon a ymsefydlodd yn Safana ar ôl ffoi o Brwsia. Roedd gan y fam a'r mab yr un llygaid tywyll a threiddgar a'r un modd o syllu'n galed ar bwy bynnag oedd yn siarad â nhw.

Fel arfer, roedd Senauki ar law dde Fearchar MacGilleBhràth. Er ei bod hi'n saith deg oed a chwpl o flynyddoedd yn hŷn na'r capten llong a eisteddai am y bwrdd â hi, roedd y gwallt a syrthiai'n hir o gwmpas ei hysgwyddau'n hollol ddu o hyd. Y hi oedd gweddw Tomochichi, yr arweinydd enwog a oedd wedi cydweithio â James Oglethorpe yn ystod y blynyddoedd cynnar hynny er mwyn ceisio gwireddu'i weledigaeth iwtopaidd ar dir Georgia. Eisteddai nai Senauki, Toonahowi, yn ei hymyl. Tua hanner cant oed ydoedd – ychydig yn hŷn na Warri Jekri ond tipyn yn iau na Fearchar MacGilleBhràth – ei wallt du yntau wedi'i glymu'n gynffon ar gefn ei ben, sgarff goch wedi'i chlymu'n dwt uwchben ei glustiau. Ar y cyd yr oedd y nai a'r fodryb yn arwain eu cymuned, pobl a elwid yn *Yamacraw Creek* gan Saeson Georgia. Mvskoke oeddyn nhw i Grasi, pobl y perthynai hi iddyn nhw hefyd trwy'i mam.

Yn y ddwy gadair olaf ar yr ochr honno roedd Maria Fuchs a'i brawd Johan, dau aelod ifanc o gymuned Salzburger Safana. Roedd yr efeilliaid tua'r un oed â Grasi, ond roedd golwg ar wyneb Maria a wnâi iddi ymddangos ychydig yn hŷn na'i brawd. Yr un gwallt golau oedd gan y ddau, ond roedd gwallt y chwaer yn hir ac wedi'i glymu mewn cocyn ar gefn ei phen. Croesawodd yr Iddewon Prwsiaidd y Cristnogion o Salzburg pan ddaethant i Safana gyntaf, a hwythau'n ffoaduriaid crefyddol a ddihangasai rhag gormes ac erledigaeth yn Ewrop. Roedd y ddwy gymuned wedi parhau'n agos iawn, ac nid oedd yn syndod bod y ddau Fuchs ifanc yn eistedd am y bwrdd â Perla a Mordecai Sheftall. Mwy na thebyg, roedd y pedwar wedi teithio i'r cyfarfod gyda'i gilydd.

Hwn oedd Cyngor Safana. Yn ôl siarter ffurfiol Georgia, yr Ymddiriedolwyr oedd corff llywodraethu ffurfiol y drefedigaeth, ond roedd y dynion hynny'n byw'n bell dros y môr yn Llundain. Felly, roedd yr Ymddiriedolwyr yn caniatáu i bobl Georgia ethol *delegates*, dirprwywyr a oedd yn cynghori'r Ymddiriedolwyr ac yn gyfrifol am faterion ymarferol bob dydd y drefedigaeth. Ond roedd James Oglethorpe, Cadeirydd Bwrdd yr Ymddiriedolwyr a sefydlydd Georgia, yn dibynnu ar y corff cyfrinachol hwn, Cyngor Safana, i wneud y gwaith na ellid ei drafod yn agored yng nghoridorau grym Llundain. Câi Georgia ei rhedeg gan yr Ymddiriedolwyr a'r Dirprwywyr, ond Cyngor Safana oedd yn gyfrifol am warchod y freuddwyd a sicrhau bod y drefedigaeth yn parhau'n dir rhydd. Atebai'r Gwasanaeth yr oedd Grasi'n rhan ohono i'r Cyngor hwn, fel yr atebai patrolau arfog Warri Jekri.

Moesymgrymodd Eachann Mòr ychydig, chwincio ar Grasi, a gadael yr ystafell, yn cau'r drws yn dawel y tu ôl iddo. Byddai'n sefyll yn y cyntedd eto, yn sicrhau na fyddai neb yn dod a tharfu ar y cyfarfod. Plygodd Grasi ei phen ychydig, yn moesymgrymu o flaen y Cyngor a wasanaethai. Safodd Fearchar MacGilleBhràth a chodi'i freichiau, fel pe bai'n ceisio ei chofleidio hi o ben arall y bwrdd hir.

'*Tha fàilte mhòr ort, a Ghraisi.*' Croesawodd Cadeirydd y Cyngor hi yn Saesneg wedyn. '*You are most welcome, Grasi.*' Pefriodd ei lygaid glas, y rhyddhad yn amlwg ar ei wyneb. 'Eistedd,' meddai wedyn, yn anelu un llaw at y gadair wag wrth iddo suddo'n ôl i mewn i'w gadair yntau. Amneidiodd Grasi heb ddweud gair ac eisteddodd. Syllodd naw pâr o lygaid arni'n ddisgwylgar. Amneidiodd Grasi unwaith eto ar Fearchar MacGilleBhràth ac wedyn edrychodd o gwmpas y bwrdd, yn ymbaratoi. Siaradodd yn Saesneg.

'*All that we feared is true.*' Er bod Fearchar MacGilleBhràth yn eistedd wrth ben arall y bwrdd hir, sylwodd hi fod ei geiriau wedi'i daro fel ergyd; daeth golwg yn debyg i boen dros ei wyneb. Seibiodd am ennyd, yn gadael i'r Cyngor dreulio'r frawddeg fer bwysfawr. Dechreuodd siarad eto wedyn, heb arwydd o flinder ei thaith yn ei llais a'i geiriau'n dod yn bwyllog.

'Mae'n wir bod George Whitefield wedi galw cynulliad yn syth ar ôl dychwelyd o Loegr. Confocasiwn llawn ydoedd. Mae'n debyg bod pob aelod o'r Synod yn bresennol. Dyna oedd yn digwydd ym Mhlas Profidens. Confocasiwn llawn o Synod Methodistaidd America.'

'Y diawled,' ebychodd Warri Jekri, yn rhegi yn Itsekiri, a chododd law i gosi'r graith ar ei foch.

'Ie wir,' ategodd Grasi, yn parhau'n Saesneg, 'a ches i

gyfle i weld wynebau rhai o'r diawled hefyd. Dim ond rhai ohonyn nhw. Roedd rhai'n ddieithr i mi, ond gwelais Jonathan Mason.'

'O Ogledd Carolina?' holodd Fearchar MacGilleBhràth.

'Ie. Hwnnw.'

Ebychodd Warri Jekri eto, yn rhegi dan ei wynt yn ei iaith ei hun.

'A Simon Lee o Virginia.'

'*That slimy devil!*' Poerodd Amos Hawkins y geiriau, ei lais yn uwch na rhegfeydd Itsekiri Warri Jekri. Dechreuodd yr hen gapten llong o Sais ddweud rhywbeth arall ond cododd Fearchar MacGilleBhràth law er mwyn ei dawelu.

'A phwy arall, Grasi?' Pwysodd yr Albanwr ymlaen yn ei gadair, yn gosod ei ddwylo ar y bwrdd o'i flaen.

'Y Parchedig George Whitefield ei hun, wrth gwrs.'

'Neb arall?'

'Neb oeddwn i'n ei nabod. Dim ond eu cefnau welais i yn achos y rhan fwyaf ohonyn nhw. A bu'n rhaid i mi ymadael ar frys cyn cael cyfle i weld llawer.' Aeth Grasi rhagddi, yn disgrifio'r cistiau rhyfedd ar y bwrdd yn ymyl y ddarlithfa ac yn egluro'r modd y dihangodd. Disgrifiodd farwolaeth y caethwas ifanc. 'Doeddwn i ddim yn gwybod ei enw hyd yn oed, ond iddo fo mae'r diolch am lwyddiant y cynllun.'

'Abner.' Safodd Fearchar MacGilleBhràth yn araf. '*Sìth Dhé dha anam.*' Oedodd, ac wedyn ailadroddodd ei weddi yn Saesneg. 'Heddwch Duw i'w enaid.' Caeodd ei lygaid am ennyd. 'Abner oedd ei enw fo. Roedd ei wasanaeth yn fawr. Nid hwn oedd y tro cyntaf iddo fentro'i fywyd.'

'Bendith arno,' meddai Perla Sheftall, acen gref ar ei Saesneg er gwaethaf ei blynyddoedd lawer yn Safana. Llefarodd fendith yn gyflym mewn Iddew-Almaeneg hefyd. Ailadroddodd ei mab hi'r un geirau yn gyflym. Pan siaradai Saesneg, swniai Mordecai Sheftall fel un a oedd wedi'i fagu yn Safana.

'Cofiwn Abner yn ein gweddïau a chofiwn o fel un a fu farw dros ryddid.' Oedodd, ei wyneb yn caledu. 'Ond rhaid i ni ganolbwyntio ar y camau nesaf. Does gennym ni neb y tu mewn i Blas Profidens bellach.'

'Nac oes,' ochneidiodd Fearchar MacGilleBhràth.

'Beth wnawn ni am hynny?' holodd Amos Hawkins yn flin, ei gadair yn gwichian dan ei bwysau wrth iddo symud. 'Rhaid i'r Gwasanaeth fynd ati i gael hyd i rywun arall.'

Roedd Senauki a Toonahowi yn siarad yn gyflym â'i gilydd, yn sibrwd. Dim ond ambell air Mvskoke a glywai Grasi o'i sêt wrth ben pellaf y bwrdd. Siaradodd Senauki yn Saesneg wedyn, ychydig o gerydd yn ei llais cryf.

'Gyfeillion. Gadewch i Grasi orffen adrodd ei hanes gyntaf. Cawn drafod materion eraill wedyn.' Aeth ei llygaid o Gapten Hawkins i Grasi. 'Beth am y dynion eraill, y rhai nad oeddet ti'n eu hadnabod? Welaist ti ddigon o'u hwynebau i'w cofio?'

'Henka.' Atebodd Grasi hi, yn defnyddio Mvskoke, ond amneidiodd er mwyn dangos i'r lleill ei bod hi'n cofio'r wynebau.

'Wrth gwrs, wrth gwrs.' Ysgydwodd Fearchar MacGilleBhràth ei ben.

Disgynnodd cudyn hir o wallt cyrliog dros un llygad a chododd law i'w symud. 'Y darluniau!' Dechreuodd godi o'i gadair, ond cododd Maria Fuchs yn gyflym, ei gwên yn dangos ei bod hi'n barod i helpu. Camodd hi draw at un o'r silffoedd llyfrau ac estyn cyfrol drwchus wedi'i rhwymo mewn lledr brown. Cerddodd Fearchar MacGilleBhràth draw atyn nhw wrth i Maria osod y llyfr trwm ar y bwrdd o flaen Grasi. Safai'r Almaenes ifanc ar y naill ochr a'r Albanwr ar yr ochr arall, y ddau'n plygu i lawr yn eiddgar wrth i Grasi droi tudalennau'r gyfrol gyfarwydd. Roedd portread ar bob tudalen, y darluniau wedi'u paentio gan asiantau'r Gwasanaeth, y rhai a oedd yn ysbïwyr ac yn artistiaid. Trodd hi dudalen ar ôl tudalen, yn chwilio. Na. Na. Na. Aeth yn gyflym, ei llygaid yn dweud wrthi'n syth nad oedd yr wyneb o'i blaen yn un ohonynt. Na, na, na. Curai Johan Fuchs y bwrdd yn dawel â'i fysedd, yn dangos ei ddiffyg amynedd. Hisiodd ei chwaer arno a stopiodd, ei wyneb yn cochi. Yr unig sŵn oedd anadlu'r bobl yn yr ystafell a'r tudalennau'n troi. Na, na, na.

'Hwn!' ebychodd Grasi, yn gosod ei bys o dan un darlun. Dyn â thrwyn hir main, ei wyneb yn welw iawn. 'Dyma un ohonyn nhw.' Astudiodd Grasi'r ysgrifen o dan y portread. Darllenodd Maria Fuchs yr enw'n uchel i bawb gael ei glywed.

'Y Parchedig Bartholomew Barebones, o diriogaeth Massachusetts.'

'*Az farshiltn farreter!*' ebychodd Perla Sheftall mewn Iddew-Almaeneg i'w mab Mordecai. Cododd Maria Fuchs ei phen a'i hateb yn Almaeneg. '*Ja, Dieser verdammte Verräter.*' Y bradwr melltigedig yna. Gwyddai Grasi hanes Bartholomew Barebones yn iawn. Bu'n aelod gweithgar o'r Synod Methodistaidd Rhydd, ond am reswm nad oedd hi'n ei ddeall, roedd wedi newid ei liwiau ac ymuno â Synod Methodistaidd America, y gyfundrefn Fethodistaidd arall, yr un a oedd yn bleidiol i gaethwasiaeth ac yn cael ei harwain gan George Whitefield. Er nad oedd y Gwasanaeth wedi darparu tystiolaeth gwbl sicr i Gyngor Safana eto, roedd ei asiantau'n sicr bod Bartholomew Barebones yn rheoli rhwydwaith ysbïwyr y gelyn yn nhrefedigaethau rhydd Connecticut a Massachusetts.

'A'r lleill?' Anogodd Senauki o ben arall y bwrdd. Trodd Grasi dudalen arall. Na. Ac un arall. Na. Ond ar ôl troi'r dudalen nesaf, gwelodd wyneb crwn cyfarwydd.

'Hwn! Gwelais yr wyneb hwn hefyd.' Darllenodd Maria Fuchs yr enw.

'Y Parchedig Oliver Newton o orllewin Maryland.'

'Diddorol,' meddai Fearchar MacGilleBhràth, yn sythu'i gefn.

'Roeddwn i'n meddwl bod Newton yn Lloegr ar hyn o bryd,' dywedodd Johan Fuchs. Edrychodd Grasi arno; ni siaradai brawd Maria yn aml. Nid oedd Grasi'n adnabod yr Almaenwr ifanc gystal â'r gweddill, gan ei fod o a'i chwaer wedi ymuno'n lled ddiweddar. Roedd wedi bod yn hawdd dod i adnabod Maria Fuchs, ond nid oedd Johan mor agored a siaradus â'i chwaer. Er nad oedd arno ofn codi'i lais yn y Cyngor, roedd yn dawel – yn swil, hyd yn oed – fel arall. Ond roedd rhyw daerineb anghyffredin yn ei lais a hawliai sylw Grasi.

'Dyna sy'n ddiddorol,' atebodd Mordecai Sheftall. 'Rhaid bod Newton wedi dychwelyd o Loegr am reswm.'

'Mae hwnnw'n ddyn digon peryglus,' dywedodd Toonahowi. Roedd Warri Jekri'n amneidio'n egnïol am y bwrdd ag o.

'Ydi,' cytunodd Johan Fuchs. 'Mae'n gwneud gwaith cythreulig.'

'Mae'n fasnachwr mewn gwaed!' Saethodd y geiriau Saesneg o geg Warri Jekri. 'Mae'n defnyddio'i eglwys a'i eiddo yn Maryland i garcharu pobl rydd o dras Affricanaidd sydd wedi'u cipio gan ladron dynion o Bensylfania.'

'Ie,' ychwanegodd Amos Hawkins, 'cyn eu gwerthu'n gaethweision yn Virginia. Ac mae'n llochesu ysbïwyr sy'n picio'n ôl ac ymlaen dros y ffin i Bensylfania.'

'Mae hynny'n wir,' dywedodd Senauki wrth iddi godi'i llaw a'i chwifio'n araf er mwyn tawelu'r lleill. 'Gwyddom hynny, ac mae gweithredoedd y dyn yn ofnadwy, ond nid dyna sy'n bwysig heddiw.'

'Gwir,' cytunodd Fearchar MacGilleBhràth. 'Mae Oliver Newton yn gwneud digon o ddrwg o'i ofalaeth yng ngorllewin Maryland, ond roedd wedi croesi'r môr am reswm penodol.' Seibiodd, yn cribinio'i lygaid o gwmpas y bwrdd, yn sicrhau bod ei eiriau'n taro pob aelod o'r Cyngor yn y modd priodol. 'Beth oedd y rheswm hwnnw? Beth aeth â Newton i Loegr?' Oedodd, yn gadael iddynt gnoi cil ar y cwestiwn. 'A pham mae wedi dychwelyd i America rŵan?'

'Mae'n debyg... mae'n debyg... mae'n debyg ei fod wedi dychwelyd o Loegr ar yr un llong â Whitefield.' Roedd Amos Hawkins yn sefyll yn araf ac yn gwthio'i gadair yn ôl ychydig er mwyn camu o'r bwrdd. 'Mae yna gyfle yma.' Cymerodd gwpl o gamau i gyfeiriad y lle tân, ei lygaid fel pe baent yn astudio'r tameidiau oer o bren ynddo. 'Dwi wedi bod yn meddwl.' Trodd yn gyflym ar ei sawdl a chododd ei freichiau hir er mwyn eu plethu o flaen ei frest lydan. 'Dylen ni geisio canfod pa long a ddaeth â Whitefield yn ôl i America yn ddiweddar. Mae'n debyg iawn bod Newton wedi croesi ar yr un llong, ac os dwi'n gallu cael hyd i forwr a fu'n gweithio arni, neu rywun mewn porthladd a welodd hi'n glanio –'

'Bydd ganddo wybodaeth amhrisiadwy!' Roedd llais Maria Fuchs yn fuddugoliaethus.

'O bosib. O bosib.' Siaradodd Fearchar MacGilleBhràth, awdurdod ei lais yn atgoffa pawb mai fo oedd Cadeirydd y Cyngor. 'O'r gorau. Dyna fydd un o'r camau nesaf. Ceisio cael hyd i wybodaeth am y llong. Ond peidiwch â disgwyl gormod.

Yn y cyfamser, gyfeillion, gadewch i ni gofio geiriau Senauki a gorffen y drafodaeth bresennol cyn dechrau cynllunio.'

'Gwelais un wyneb arall,' dywedodd Grasi.

'O'r gorau,' atebodd Fearchar, yn plygu dros ei hysgwydd eto. Syrthiodd gwallt cyrliog coch a gwyn dros ei wyneb a chododd ei ddwylo er mwyn ei symud y tu ôl i'w glustiau. 'Dos yn dy flaen, 'te.' Roedd Grasi'n troi tudalennau'r gyfrol fawr yn barod. Na. Na. Na. Rhai wynebau cyfarwydd, rhai anghyfarwydd, ond nid oedd y trydydd un yn eu plith. Aeth ymlaen, yn chwilio am y dyn meddw, ei fochau a'i drwyn yn goch a'r blewiach du'n tywyllu hanner isaf ei wyneb. Cyrhaeddodd Grasi'r dudalen olaf a chaeodd y gyfrol gyda chlep.

'Dydi'r trydydd un a welais i ddim yma.'

'Wyt ti'n siŵr?' Roedd Johan Fuchs yn drymio'r bwrdd â'i fysedd eto.

'Wrth gwrs ei bod hi,' meddai Senauki, 'dydi Grasi byth yn anghywir.' Cochodd a phlethodd ei ddwylo ar y bwrdd.

'Rhyfedd,' dywedodd ei chwaer Maria, a siom yn ei llais. Cydiodd yn y llyfr mawr, ei godi, a mynd ag o'n ôl i'w le ar y silff.

'Ond mae holl aelodau'r Synod yn y gyfrol!' Roedd llais Johan Fuchs yn uchel ac roedd min ar ei eiriau, fel pe bai'n chwilio am rywun i'w gyhuddo a'i ddal yn gyfrifol am y methiant hwn.

'Rhaid edrych mewn lle gwahanol.' Plygodd Toonahowi ymlaen ar mwyn saethu cerydd o edrychiad i lawr y bwrdd at yr Almaenwr ifanc. Gosododd Senauki law ar ei ysgwydd er mwyn ei annog i eistedd yn ôl yn ei gadair.

'Maddeuwn i Johan am arddangos angerdd ei ieuenctid. Ond mae fy nai yn gywir. Rhaid edrych mewn lle gwahanol.

Ac mae Johan wedi dweud y gwir. Mae holl weinidogion Synod Methodistaidd America yn y gyfrol yna. Felly, mae'n rhaid chwilio mewn llyfr arall.'

'Wrth gwrs!' Safodd Mordecai Sheftall mewn cyffro. 'Dydi o ddim yn –'

'Dydi o ddim yn Fethodist.' Gorffennodd Fearchar MacGilleBhràth ei frawddeg. Eisteddodd Mordecai eto. Roedd Amos Hawkins yn cerdded draw i'w gadair o eto hefyd, ond roedd Maria Fuchs wrthi'n codi cyfrol drom arall o'r un silff.

'Dyma ni!' Camodd yn gyflym at y bwrdd a gosod y llyfr mawr o flaen Grasi, a ddechreuodd droi'r tudalennau yn syth. Hwn oedd yn cynnwys gelynion rhyddid nad oeddynt yn aelodau o Synod Methodistaidd America. Gwelai Grasi lawer o wynebau cyfarwydd, pobl yr oedd hi wedi ysbïo arnyn nhw yn y gorffennol. Perchnogion planhigfeydd yn Ne Carolina, Gogledd Carolina, Maryland a Virginia. Masnachwyr a werthai gaethweision. Capteniaid llong a gludai gaethion o Affrica. Yno hefyd roedd wynebau rhai o weision y Goron yn America, y rhai a oedd yn cefnogi'r tiriogaethau caeth yn agored neu'n gudd. Bodiai Grasi trwy'r tudalennau'n awchus, yn chwilio am y trydydd wyneb. Na. Na. Na.

Trodd y dudalen nesaf a dyna ble oedd wyneb cryf Lachlan McIntosh, un o gaethfeistri De Carolina. Gwyddai Grasi lawer iawn am y dyn hwn gan fod staff Bethesda wedi sôn am ei gampau a'i lwyddiant. Yn debyg i Grasi, treuliodd beth o'i blentyndod yn y cartref ar gyfer plant amddifaid y tu allan i Safana er ei fod wedi hen adael cyn iddi hi gyrraedd y lle. Bu George Whitefield yn fentor ac yn noddwr iddo, ac ar ôl cyfnod fel swyddog ym myddin Lloegr, aeth yn gaethfeistr cyfoethog yn Ne Carolina. Ac yntau'n plygu'n agos dros ei hysgwydd, gallai Grasi synhwyro bod Cadeirydd y Cyngor wedi dal ei anadl am ennyd. Gwyddai fod hanes yn clymu Fearchar MacGilleBhràth a Lachlan McIntosh ynghyd – hanes oedd yn eu gwneud yn elynion hefyd.

Aeth Grasi ymlaen, yn troi tudalen ar ôl tudalen. Na. Na. Na. Na. Trodd un dudalen arall, a dyna lle oedd y trydydd wyneb yn syllu arni hi o'r papur. Nid oedd ei fochau a'i drwyn mor goch, ac nid oedd wedi magu cymaint o bwysau pan greuwyd y darlun, ond hwn oedd y dyn a welsai o'i chuddfan y tu ôl i'r drws ym Mhlas Profidens. Nid oedd yn gwisgo chwig yn y darlun ac roedd ei wallt yn ddu, fel y llen o flewiach dros hanner isaf ei wyneb. Sylwodd y lleill ei bod hi'n oedi ac aeth ias trwy'r ystafell. Plygodd Maria Fuchs yn nes er mwyn darllen yr ysgrifen, ond darllenodd Grasi yr enw yn uchel, gan ei bod yn ynganu'r Gymraeg yn well na'r Almaenes.

'Goronwy Owen.' Aeth ton o siarad o gwmpas y bwrdd, rhai'n rhegi neu'n ebychu'u syndod a rhai'n siarad ymysg ei gilydd, y dwndwr yn gymysgedd o Saesneg, Gaeleg, Itsekiri, Iddew-Almaeneg, Mvskoke ac Almaeneg. Cododd Fearchar MacGilleBhràth law ac aeth pawb yn dawel.

'Y Cymro o Virginia?' holodd Mordecai Sheftall, yn hanner codi o'i gadair er mwyn ceisio gweld y llun ar y bwrdd o flaen Grasi. 'Ond Eglwyswr ydi o, nid Methodist.'

'Ie.' Roedd Amos Hawkins yn crafu'r darn moel ar dop ei ben ag un llaw, ei lais yn ansicr. 'Mae llawer o Gymry yn Fethodistiaid, ond dwi'n siŵr bod y Cymro hwnnw'n Eglwyswr.'

'Eglwyswr ydi o.' Siaradodd Fearchar MacGilleBhràth wrth iddo gerdded yn araf at ei gadair wrth ben arall y bwrdd hir. 'Dyna sy'n gwneud darganfyddiad Grasi mor bwysig.' Cododd Maria Fuchs y gyfrol, ei chau, a mynd â hi'n ôl i'w lle ar y silff.

'Confocasiwn o'r Synod oedd o,' dywedodd Perla Sheftall yn araf, 'cyfarfod o Fethodistiaid.' Cyrhaeddodd Fearchar MacGilleBhràth ei gadair, ond oedodd i gyhoeddi'i gasgliad cyn eistedd.

'Yn union. Dyna pam mae'r darganfyddiad mor bwysig. A dyna sy'n frawychus. Mae Whitefield yn ehangu'i gylch. Ni fyddai Methodist fel Whitefield yn cyffwrdd â Goronwy Owen â choes brwsh fel rheol. Mae'r Cymro hwnnw wedi'i urddo'n offeiriad yn Eglwys Loegr, ac mae o wedi bod yn elyniaethus iawn i'r Methodistiaid yn ôl yn yr Hen Wlad ac yma yn America. Nid oes llawer o gariad Cristnogol rhwng Goronwy Owen a'r Methodistiaid, hyd yn oed y rhai sy'n ymgasglu'n Synod Methodistaidd America ac yn cefnogi caethwasiaeth.'

'Ond mae'n amlwg eu bod nhw'n fodlon dod ynghyd a chydweithio bellach,' meddai Senauki, ei llais yn dawel ond yn sicr. 'Maen nhw'n fodlon rhoi crefydd o'r neilltu a chydweithio er mwyn hyrwyddo caethiwed yn America.'

Eisteddodd Fearchar MacGilleBhràth.

'Yn union.' Anadlodd yn ddwfn ac wedyn ochneidiodd. 'Mae Whitefield yn ehangu'i gylch. Mae'n fodlon ymddiried mewn pleidwyr caethiwed nad ydynt yn aelodau o'i enwad crefyddol. Mae'n fodlon gweitho â phobl na all eu rheoli'n uniongyrchol.'

'Mae'n arwydd o hyder.' Saethodd Mordecai Sheftall y geiriau i lawr y bwrdd at y Cadeirydd.

'Ydi,' atebodd. 'Mae'n arwydd o hyder.'

'Mae'n wir felly.' Roedd llygaid Toonahowi wedi'u hoelio ar y Cadeirydd hefyd, ond symudodd ei ben er mwyn edrych o gwmpas y bwrdd ac ystyried wynebau'r lleill. 'Dyma arwydd arall sy'n ei brofi. Mae'n gelynion yn dod ynghyd. Mae rhyfel ar y ffordd.'

'Ydi,' atebodd Warri Jekri. 'Maen nhw'n trefnu'u lluoedd, yn paratoi i daro.'

Sibrydodd ei fodryb rywbeth wrth Toonahowi, yn rhy dawel i Grasi ei glywed, ond roedd hi'n meddwl mai *fvtcv* oedd un o'r geiriau. Gwirionedd. Siaradodd Senauki â Fearchar MacGilleBhràth yn Saesneg wedyn.

'Nid yw Grasi wedi cael cyfle i glywed eto. Rhaid ei goleuo hi.' Amneidiodd yr Albanwr, yn gwthio cudyn o'i wallt cyrliog hir o'i wyneb. Siaradodd yn bwyllog.

'Mae James Oglethorpe wedi gyrru negesydd. Cyrhaeddodd ei long y bore yma. Dyna oedden ni'n ei drafod pan gyrhaeddaist ti.'

Dechreuodd un o'r canhwyllau yn y canhwyllyr agosaf at Grasi sbladdro, y fflam isel yn cwffio am ei bywyd wrth iddi foddi yn y cwyr.

'Er nad yw'n gyhoeddus eto, mae'n digwydd. Mae'n holl ffynonellau ni yn Llundain yn cytuno. Mae'r brenin am ochri'n ffurfiol â'r trefedigaethau caeth.'

'Mater o amser oedd o,' ychwanegodd Amos Hawkins, 'gan fod y rhyfel â Sbaen ar ben a byddinoedd Lloegr yn segur ar hyn o bryd.'

Hisiodd y gannwyll o flaen Grasi a marw. Siaradodd Fearchar MacGilleBhràth â Grasi eto.

'Mae'n debyg bod y brenin ar fin arwyddo bil a fydd yn dileu siarter Georgia. Gwyddost beth fydd yn digwydd wedyn.'

Gwyddai. Byddai'r Goron yn diddymu cyfansoddiad Georgia ar ôl diddymu'i siarter. Wedyn, byddai'n ei gwneud yn drefedigaeth frenhinol. Yn hytrach na chael ei rheoli gan ymddiriedolwyr lled-annibynnol, byddai'r Goron yn penodi llywodraethwr i reoli Georgia'n uniongyrchol. Y cam nesaf fyddai cyfreithloni caethwasiaeth oddi mewn i'w ffiniau. Ac efallai ar yr un pryd, neu ar ôl darostwng Georgia, byddai'r Goron yn gorfodi cyfreithiau newydd ar y trefedigaethau rhydd eraill gan sicrhau bod caethwasiaeth yn gyfreithlon ym mhob rhan o America a oedd yn rhan o'r Ymerodraeth Brydeinig.

'Mae'n rhyfel!' Ymsythodd Warri Jekri yn ei gadair. 'Mae'n rhyfel agored o'r diwedd.'

'Nid eto, gyfaill, nid eto.' Dechreuodd un o'r canhwyllau eraill farw yn ei chwyr wrth i Senauki siarad. 'Daw rhyfel, mae'n siŵr. Daw, daw. Ond nid yw'n ddoeth i ni ddechrau rhyfel cyn iddo ddod amdanom ni.'

'Gyda phob parch,' roedd llais Amos Hawkins yn gymysgedd o gwrteisi a rhwystredigaeth, 'dwi ddim yn siŵr ydw i'n eich dilyn chi.'

Edrychodd hynafwraig y Mvskoke arno.

'Ni allwn gael ein gweld fel y rhai sy'n dechrau'r rhyfel, Capten Hawkins. Rhaid i ni ymbaratoi, yn sicr. Rhaid i ni fod yn barod ar gyfer rhyfel. Ond ni fyddai'n dda i ni gael ein *gweld* yn paratoi ar gyfer rhyfel.'

'Rhaid bod yn gyfrwys,' ategodd ei nai yn ei hymyl. 'Mae'n niferoedd yn fach iawn o'n cymharu â lluoedd y gelyn. Rhaid i ni gynyddu'n cryfder trwy ddarbwyllo eraill i ymladd ar ein hochr ni. Bydd rhai'n disgwyl i weld pa fath o ryfel fydd o, ac mae'n rhaid i ni gael ein gweld fel y rhai sy'n haeddu cefnogaeth, nid fel rhai sy'n rhuthro i dywallt gwaed gyntaf.'

'Doeth.' Eisteddodd Warri Jekri yn ôl yn ei gadair wrth lefaru'r gair.

'Ie, pan ddaw rhyfel,' ychwanegodd Senauki, 'byddwn ni'n fwy na pharod amdano, ond rhaid paratoi'n dawel *cyn* iddo ddod. Rhaid i ni ymgryfhau a sicrhau cefnogaeth ein cyfeillion.'

'Mae hynny'n gwneud synnwyr,' dywedodd Johan Fuchs, ei lygaid ar ei chwaer. Amneidiodd Maria.

Pwysodd Mordecai Sheftall ymlaen yn ei gadair.

'Mae gan Goron Loegr lynges a byddin sy'n fwy o lawer na'r holl luoedd yn America. Ac os daw –,' oedodd, yn ysgwyd ei ben, '*pryd* daw'r rhyfel, bydd lluoedd Virginia, Maryland a'r ddwy Garolina yn ymladd ar ochr brenin Lloegr. A'r pedair tiriogaeth gaeth yw'r rhai mwyaf poblog. Nid yw'n sicr y bydd y tiriogaethau rhydd eraill yn ymuno â ni –'

'Ydi! Mae'n sicr! Rhaid iddyn nhw ein cefnogi ni.' Siaradai Johan Fuchs yn uchel eto. Gwgodd Mordecai arno a pharhau.

'Does neb mewn sefyllfa wan yn rhuthro i ryfel. Dydi Pensylfania, Jersey Newydd a Delaware ddim wedi dileu caethwasiaeth yn llwyr eto, cofiwch. Mae rhai yma'n tueddu i'w cyfrif ymhlith y rhai rhydd, ond dydi'u statws nhw ddim yn gwbl saff eto. Mae'r grymoedd caeth yn gweithio'n galed i wyrdroi'r mesurau a basiwyd yn ddiweddar o blaid rhyddid yn y trefedigaethau hynny. A phan ddaw'r rhyfel bydd Bartholomew Barebones a'i debyg yn gweithio'n galed i danseilio morâl y trefedigaethau rhydd eraill oddi mewn.' Ochneidiodd Mordecai Sheftall. '*Os* bydd y tiriogaethau rhydd eraill yn ymuno â ni, ac *os* bydd Gweriniaeth Rydd Vermont a Chonffederasiwn y Wabanki yn ymuno â ni hefyd, bydd gennym ni siawns. Ond hyd yn oed gyda'r holl gynghreiriaid posib, bydd ein lluoedd ni'n dal yn llai o lawer na lluoedd y gelyn.'

'Gwir,' ategodd Warri Jekri. 'Hyd yn oed gyda'r holl drefedigaethau rhydd, gan gynnwys y rhai sydd ar fin dod yn rhai rhydd, hyd yn oed gyda Vermont a'r Wabanaki, ni fydd gennym ni hanner digon o filwyr, arfau a llongau.'

'Nid niferoedd yn unig sy'n ennill rhyfel!' Roedd llais Perla

Sheftall yn uchel ac yn crynu dan deimlad: 'Mae cyfiawnder yn arf hefyd! Mae cyfiawnder yn rhoi dur yn asgwrn cefn milwr!'

'Efallai, Mam,' nododd Mordecai, 'ond mae niferoedd mawr o arfau, llongau a milwyr yn helpu hefyd.'

Sylwodd Grasi fod Mordecai Sheftall wedi dal llygaid Fearchar MacGilleBhràth wrth siarad. Roedd yr ucheldirwr wedi ymladd yn erbyn byddinoedd brenin Lloegr yn yr Hen Wlad pan oedd yn ddyn ifanc iawn. Ac roedd wedi ymladd ochr yn ochr â'r milwyr Seisnig yn Fflorida ac ar yr ynysoedd yn erbyn y Sbaenwyr yn fwy diweddar. Er bod Mordecai'n un o swyddogion mwyaf profiadol milisia Georgia, Fearchar MacGilleBhràth oedd arweinydd rhyfel gorau a mwyaf profiadol y Cyngor. Yn ogystal, roedd yn ddyn a allai greu cynghreiriau a llunio cytundebau. Roedd wedi adeiladu ymerodraeth fasnachol ar hyd glannau afon Safana nid trwy ymladd ond trwy gynllunio. Fo oedd cadeirydd y Cyngor a'i brif strategydd a disgwyliai Mordecai iddo fynegi'i farn ar y pwynt yma.

Taflodd Fearchar MacGilleBhràth ei lygaid yn araf o wyneb i wyneb a dechreuodd siarad.

'Mi fyddwn ni'n paratoi ar gyfer rhyfel, ond byddwn ni'n gwneud hynny'n dawel. Ni ddylai neb ddweud gair nes ein bod ni wedi cytuno ar ein cynlluniau. Mae'n bwysig nad oes neb y tu allan i waliau'r tŷ hwn yn gwybod ein bod ni'n paratoi ar gyfer y gwaethaf.' Syrthiodd ei lygaid ar Grasi ar ben pellaf y bwrdd hir. Oedodd, yn disgwyl i'r hisian fynd wrth i gannwyll arall farw yn ei chwyr. Pan siaradodd, roedd fel pe na bai neb arall yn yr ystafell gyda nhw. 'A bydd angen ein holl glustiau a'n holl lygaid, Grasi.'

'Dwi'n barod i deithio eto. Does dim angen gorffwys arna i.'

'Gwn i, Grasi, gwn i.' Oedodd, yn ystyried ei eiriau'n ofalus. 'Ond does dim rhaid i ti deitho'n bell y tro hwn. Hoffwn dy gadw di yma yn Safana. Ti yw'r gorau yn y Gwasanaeth ac mae angen y llygaid a'r clustiau gorau arnon ni yma yn Safana ar hyn o bryd. Mae'r bygythiad yn gwasgu'n agos.'

'Ydi.' Roedd min ar lais Warri Jekri. 'Mae'r bygythiad yn agos iawn. Mae pobl yn cael eu cipio.'

'Yma yn Safana?'

'Ie,' atebodd Fearchar MacGilleBhràth. 'Mae lladron dynion yn gweithredu yma yn Safana. Maen nhw'n gweithredu yma o dan ein trwynau. Am y tro cyntaf erioed.'

'Ac maen nhw'n cipio'n dynion gorau ni,' ychwanegodd Mordecai Sheftall, dicter yn mudlosgi yn ei lygaid. 'Rhai na fedrwn ni fforddio'u colli.'

Rhan II
Medi 1770

'Dim ond gweision yw'r angylion…'
– Hebreaid 1.14

6

Strydoedd Safana

LLADRON DYNION. Y troseddwyr sy'n cipio pobl rydd o dras Affricanaidd a'u gwerthu'n gaethweision yn un o'r trefedigaethau caeth. Pan oedd Grasi'n blentyn ym Methesda roedd rhai o'r plant gwyn yn defnyddio'r ymadrodd i ddychryn y plant o liw.

'Paid di â chysgu'n rhy drwm heno. Clywais i fod lladron dynion o gwmpas.' Er nad oedd pobl wedi'u cipio yng nghyffiniau Safana erioed, roedd y lladron dynion yn fwy real yn nychymyg y plant na'r bwganod eraill a stelciai trwy'u hunllefau nhw.

'Gwyliwch chi,' dywedodd hogyn hŷn o'r enw Randal wrth Agnes a Grasi un tro pan oedd y ddwy tua wyth oed. 'Gwelais i ddau ddyn dieithr ar gyrion y cae ŷd heddiw. Dwi'n siŵr mai lladron dynion oeddyn nhw.'

'Dos o'ma gyda'th hen stori wirion,' cyfarthodd Grasi arno, ond roedd Agnes wedi'i hysgwyd at ei byw. Er bod gwlâu'r ddwy ferch yn ymyl ei gilydd, nid oedd yn ddigon agos i Agnes; llithrodd i mewn i wely Grasi y noson honno er mwyn ei dal hi'n dynn a sibrwd yn ei chlust.

'Wyt ti'n meddwl bod Randal yn dweud y gwir?'

'Nacdw,' meddai Grasi, yn ceisio efelychu'r modd yr oedd oedolion yn ymresymu â phlant. 'Hynny ydi, mae'n bosib iawn ei fod wedi gweld dau ddyn dieithr ar gyrion y cae heddiw, ond nid lladron dynion oeddyn nhw.' Aeth rhagddi'n rhestru'r holl bosibiliadau. Gweithwyr yn mesur y tir hwyrach gyda golwg ar brynu'r goedlan y tu hwnt i gaeau fferm Bethesda. Dau ddyngarwr a oedd wedi dod i astudio'r cartref a'i fferm, gan eu bod yn ystyried cyfrannu arian at yr achos neu o bosib am ddechrau menter debyg mewn ardal arall. Teithwyr ar eu ffordd i Safana o Darien neu rywle arall i'r de. Ond ni laciodd Agnes ei gafael ar fraich Grasi.

'Beth bynnag. Does dim lladron dynion yma. Dydyn nhw byth yn dod yn agos at Safana. Mae pawb yn gwybod hynny.'

Dyna a glywai Grasi gan y gofalwyr a'r athrawon ym Methesda bob tro y codai'r pwnc. Ar ôl iddi ymuno â Gwasanaeth Cyngor Safana, dysgodd Grasi fod hynny'n wir. Dim ond yng nghefn gwlad Georgia yr oedd pobl yn cael eu cipio bob hyn a hyn. Ond hyd yn oed yn ardaloedd mwyaf anghysbell y drefedigaeth yr oedd llywodraeth swyddogol Dirprwywyr Georgia a llywodraeth answyddogol Cyngor Safana yn eu rhwystro'n weddol lwyddiannus. Arbenigedd rhai a gydweithiai â Grasi yn y Gwasanaeth oedd darganfod llwybrau'r lladron dynion a datgelu'u dulliau nhw.

Ond rŵan, ar ddiwedd haf 1770, roedd lladron dynion yn gweithredu yn Safana'i hun am y tro cyntaf yn ei hanes. Cafodd chwe dyn o dras Affricanaidd eu cipio yn ystod yr wythnos y bu Grasi i ffwrdd. Pob un yn ddyn mawr cryf, dynion a allai ymladd. Pob un wedi'i gipio o'i gartref ei hun ganol nos.

Elias Okoro oedd un ohonyn nhw, dyn yr oedd Grasi yn ei adnabod yn dda. Ac yntau'n bensaer, roedd yn gyfrifol am gynnal adeiladau cyhoeddus Safana. Roedd yn lefftenant ym milisia Georgia hefyd, ac wedi ennill clod am ei wrhydri yn ystod y rhyfel â Sbaen. Ceisiodd Grasi ddychmygu sut y gallai milwr mor brofiadol gael ei gipio. Pe bai dynion arfog yn torri i mewn i'w dŷ ganol nos, byddai Elias yn clywed y sŵn. Dychmygai Grasi yr olygfa: Elias yn codi o'i wely ac yn cydio yn ei bistol, yn disgwyl i'r drwgweithredwyr agor drws ei ystafell wely. Clep! Mae'n saethu'r cyntaf yn farw a chyn i'r lleill sylweddoli beth sy'n digwydd, mae Elias yn neidio arnyn nhw, yn troi'i bistol a'i ddefnyddio fel pastwn er mwyn llorio un arall o'r ymosodwyr. Neu, o bosib, fel arall: mae'n cydio mewn arf arall – ei gleddyf neu gyllell neu brocer tân – ac mae'n rhuthro o'i lofft, yn cyfarfod â'r ymosodwyr ar y grisiau efallai. Mae'n ysgarmes waedlyd a swnllyd. Roedd Elias yn byw ar ei ben ei hun, ond byddai twrw'r ymladd yn sicr o ddeffro'r cymdogion.

Ond nid oedd arwyddion o fath yn y byd yn awgrymu beth ddigwyddodd, dyna a ddywedwyd wrthi. Dim olion. Dim tystiolaeth. Dim arwydd o drais. Ceisiai Grasi ddychmygu golygfa arall: cnoc wrth y drws, a rhyw ddyn diniwed ei olwg yno, efallai'n dweud rhywbeth fel,

'Mae'n ddrwg iawn gen i darfu arnoch chi mor hwyr, ond dywed cyfaill y gallech fy helpu, ac mae'n fater o frys.' Ac ar ôl i Elias ei wahodd yn raslon i mewn i'w gartref, ac yn troi'i gefn ar y dieithryn er mwyn cau'r drws, dyma'r dyn yn tynnu cosh o boced ei gôt a tharo Elias ar ei ben gyda'r pastwn bach. Roedd rhywbeth felly'n *bosib*, ond yn annhebygol. Ac roedd pob un o'r chwe dyn wedi'u cipio heb adael unrhyw fath o dystiolaeth.

Tybiai'r Cyngor fod y chwech wedi'u symud yn gyfrinachol dros yr afon i Dde Carolina heb i neb sylwi, ond roedd asiantau'r Gwasanaeth yn taeru'u bod yn gwybod beth oedd y tu mewn i bob cwch a llong a groesai o ddociau Safana i'r drefedigaeth gaeth am y ffin â'r ddinas.

Felly bu Grasi'n brysur iawn yn ystod y pythefnos ers iddi ddychwelyd o blanhigfa George Whitefield. Am nad oedd gan neb yn y Cyngor na'r Gwasanaeth y syniad lleiaf ynglŷn â dulliau'r lladron dynion a oedd yn bygwth trigolion Safana, pysgota yn y tywyllwch oedd Grasi, yn debyg i bob un o'r asiantau eraill. Y cyfan a allent ei wneud am y tro oedd sicrhau bod ganddynt gymaint o lygaid a chlustiau â phosib ym mhob rhan o'r ddinas.

Treuliodd Grasi rai dyddiau fel gwraig frodorol ifanc, un draddodiadol iawn o ran ei phryd a'i gwedd. Bob bore, yn un o nifer o ferched a gwragedd, byddai'n gadael pentref y Mvskoke ar lan yr afon a cherdded i'r dwyrain nes cyrraedd Safana, yn cludo basgedi a chrochenwaith i'w gwerthu yn Nhŷ'r Farchnad yn Sgwâr Decker.

Gan fod Grasi'n adnabod y benywod eraill yn dda ac yn gallu ymddiried ynddynt, roedd yn hawdd iawn chwarae'r rôl honno. Roedd hi wedi byw yn eu pentref am ddwy flynedd yn ystod y cyfnod rhwng gadael Bethesda ac ymuno â Gwasanaeth Cyngor Safana ac roedd yn teimlo fel mwy o gartref iddi erbyn hyn na'r lle arall hwnnw. Gan fod arweinwyr y gymuned, Senauki a Toonahowi, yn meddwl y byd o Grasi, roedd pawb yn y pentref yn meddwl y byd ohoni hi hefyd. Yn ogystal, hoffai nifer ohonynt ei hatgoffa'n gyson eu bod nhw'n perthyn iddi trwy waed ar ochr ei mam rywsut neu'i gilydd. Mater hawdd oedd ymdoddi a mynd yn un ohonynt dros dro gan ei bod hi'n un ohonynt yn eu golwg nhw beth bynnag.

'*Cen hopuetake tv estonkon estokon fulla?*' Byddai Grasi'n trafod materion bob dydd â'r benywod eraill ac yn eu holi am eu teuluoedd wrth iddyn nhw gerdded o'r pentref i Safana. 'Sut mae'ch plant chi?' Ac wrth iddynt nesáu at Sgwâr Decker a'r farchnad,

'*Naken nestv ceyacv?*' fyddai'i chwestiwn i un o'i chyfeillesau. 'Beth wyt ti eisiau'i brynu?' Yr un ateb a gâi fel arfer. 'Dim byd. Gwerthu fydda i heddiw, nid prynu.' Ond ambell waith byddai un ohonynt yn dweud ei bod hi am gael chwarter pwys o goffi neu de neu ychydig o frethyn lliwgar er mwyn harddu rhyw ddilledyn. Cogiai Grasi nad oedd hi'n deall Saesneg yn dda iawn, ond gwrandawai ar yr holl sgyrsiau o'i chwmpas wrth i brynwyr a gwerthwyr fynd a dod yn ystod y dydd. Gan fod ymgolli yn y gwmnïaeth honno mor rhwydd a'r dyddiau hynny mor bleserus, roedd yn demtasiwn i aros felly am gyfnod estynedig, ond gwyddai Grasi y dylai amrywio'i phryd a'i gwedd yn ogystal â'r daith a gymerai trwy strydoedd Safana.

Felly, llanc ifanc oedd hi am rai dyddiau ar ôl hynny, ei ddillad yn garpiog a chlwt o sgarff wen fudr wedi'i chlymu o gwmpas ei ben yn lle het. Ni ellid canfod beth oedd ei dras oherwydd yr holl ludw ar ei fochau, ond byddai'i lais a'i acen a hyd yn oed yr iaith a siaradai yn amrywio er mwyn tywys gwahanol bobl i feddwl gwahanol bethau, yn dibynnu ar yr amgylchiadau. Cerddai o gwmpas Sgwâr Sant Siâms, yn syllu'n eiddigeddus ar y tai mawr moethus ac yn hel cardod gan y bobl gyfoethog a gerddai'r palmentydd hynny. Pan ddeuai cwnstabl heibio, byddai'n ei orchymyn i symud a pheidio ag aflonyddu ar y trigolion, ac wedyn âi'r llanc fel ci â'i gynffon rhwng ei goesau, yn cerdded linc-di-lonc i lawr Stryd Barnard i'r de.

Un prynhawn, pan oedd Grasi yn cerdded yn rhith y cardotyn o lanc a newydd ei gyrru o Sgwâr Sant Siâms, gwelodd rywun yn cerdded ar y palmant ar yr ochr arall i Stryd Barnard. Dyn gwyn canol oed ydoedd, ei ddillad yn fudr, het wellt fawr flêr yn cysgodi'i wyneb, a'r wyneb hwnnw'n goch gan frech neu'r eryr neu afiechyd o ryw fath. Cododd y dyn ei law at gantel ei het ac amneidiodd arni. Ni ddangosodd ei bod wedi sylwi, ond ar gyrraedd y groesffordd nesaf, croesodd y stryd, troi i'r dde a cherdded i lawr Lôn Broton. Roedd lonydd Safana'n gulach na'r strydoedd, ond er bod y tai ar hyd y lôn hon yn llai o lawer na'r adeiladau mawr praff ar Stryd Barnard yn ymyl Sgwâr Sant Siâms, roeddyn nhw'n dal yn ddigon moethus. Ond pan gyrhaeddodd ddiwedd y bloc hir, roedd y tai olaf mewn cyflwr ychydig yn waeth, fframiau pren y ffenestri a'r drysau heb eu paentio'n ddiweddar a chwyn yn tyfu yn y craciau rhwng cerrig y palmant.

Gallai glywed synau ceffylau, rhai'n gweryru, rhai'n protestio trwy stompio carnau ar y ddaear galed. Yno – y tu hwnt i ddiwedd y bloc ac ar ffin swyddogol y ddinas – roedd Stabl Broton, adeilad pren hirsgwar, bron mor hir â'r bloc o dai yn ei ymyl, ond roedd yn is o lawer ac yn ymddangos yn syfrdanol o wledig yn ymyl tai cerrig Siorsaidd y ddinas. Er bod y paent gwyn uwchben y rhes o ddrysau llydan wedi pylu, roedd yn ddigon hawdd darllen y geiriau o hyd: *Broton Lane Livery Stables*.

Cerddodd Grasi – neu'r cardotyn o lanc – o gwmpas y stabl nes cyrraedd ysgubor y tu ôl iddo. Ni welod ddim, ond dwy wagen wag yn disgwyl cael eu llogi, y düwch y tu mewn i un ohonynt yn dangos ei bod yn cael ei defnyddio i gludo golosg. Edrychodd o gwmpas, yn sicrhau'i hun nad oedd neb yn sbio, ac wedyn llithrodd trwy'r drysau, a oedd wedi'u hanner agor yn barod. Llenwai tas wair fawr gefn yr ysgubor, ac o'i blaen roedd tair berfa drol, un ohonynt wedi'i llenwi â gwair, yn barod i'w gwthio i'r stabl. Pwysai pedair picwarch yn erbyn y wal. Clywodd besychiad bach a throdd Grasi. Roedd yno ddyn yng nghysgodion y gornel. Cerddodd ati'n gyflym.

Cyfarchodd Grasi o yn Saesneg, yn siarad yn llais y llanc yn hytrach na'i llais hi'i hun.

'Sut wyt ti?' Cododd y dyn law a chrafu'r cochni afiach ar ei foch.

'Iawn, am wn i, o ystyried.' Symudodd ei law i grafu'i ên, lle tyfai ychydig o flewiach melyn. 'Aros di,' meddai, gan droi er mwyn edrych drwy'r drysau. Cydiodd yn y drysau mawr pren, un gyda phob llaw, a'u tynnu ynghau. Trodd i'w wynebu hi eto.

'Tyrd. Mae'n rhaid i mi rannu ychydig o hanes â thi.' Symudodd y ddau draw at y das fawr a sefyll yno, eu traed yn y gwair a oedd wedi disgyn fel rhaeadr felyn dros lawr yr ysgubor. Llifai heulwen canol dydd i mewn trwy graciau mawr yn yr estyll uwchben y drws, tameidiau o lwch a gwellt wedi'u dal yn y pelydrau o olau ac yn nofio'n araf yn yr awyr.

'Mae'n dda dy weld di,' meddai, ei lais wedi newid ychydig. 'Roeddwn i'n falch pan glywais i dy fod wedi dychwelyd i Safana'n ddiogel.' Nid dyn canol oed blin ydoedd, ond dyn ifanc rhadlon. Martin.

'Ac mae'n dda gennyf innau weld dy fod dithau'n ddiogel,' dywedodd hi, yn defnyddio amrywiad o'r modd y byddai un o asiantau'r Gwasanaeth yn cyfarch un arall. Siaradai Martin yn gyflym yn ei lais ei hun, yn hanner sibrwd ac yn taflu'i lygaid i gyfeiriad y drws bob hyn a hyn.

'Gwranda di,' meddai, yn closio ati er mwyn siarad yn dawelach. 'Daeth un o ysbïwyr y gelyn i'n rhwyd ni y bore yma. Robert ac Ana gafodd hyd iddo. Mae'n stori hir, ond dylet ti wybod un peth.' Edrychodd at y drws yn frysiog, yn oedi am eiliad i wrando. 'Roedd y diawl bach yn gweithio fel clerc yn Neuadd y Ddinas.'

'Does bosib!' hisiodd Grasi, yn ei gwestiynu er ei gwaethaf hi'i hun.

'Mae'n bosib. Mae'n wir. Roedd o wedi bod yn ei swydd am ryw ddwy flynedd. Duw a ŵyr faint o ddrwg mae e wedi'i wneud. Mae wedi cael cyfle i weld a chopïo digon o bapurau'r Dirprwywyr.'

'Oedd ganddo ddylanwad yn y Neuadd?'

'Dim ond clerc ifanc oedd o, heb lawer o awdurdod. Ond roedd ganddo gyfle i wrando ac i weld digon.'

'Oedd o'n cydweithio â rhywun?'

'Byddwn ni'n gwybod cyn hir, gobeithio.' Gwenodd mewn ffordd fileinig a oedd yn gweddu i'r dyn canol oed blin yn fwy nag i Martin ei hun. 'Mae Eachann wrthi'n siarad ag o ar hyn o bryd.' Amneidiodd Grasi, yn deall goblygiadau 'sgwrs' rhwng Eachann Mòr ac un o ysbïwyr y gelyn.

'Gwranda,' meddai'n daer. 'Mae un peth arall. Mi fues i ar y Strand y bore yma, cyn clywed am ddalfa Robert ac Ana.'

Roedd Grasi wedi bod yn crwydro ar hyd y Strand bob nos. Hyd yn oed pan oedd wedi treulio'r diwrnod yn rhith gwraig, byddai hi'n mynd adref i fwyta'i swper ac wedyn yn ailymddangos yn rhith y cartodyn o lanc er mwyn crwydro'r strydoedd eto. Cyn i bawb fynd am eu gwlâu byddai'n cyrchu'r Strand, a mynd o dafarn i dafarn, yn gwrando ar sgyrsiau'r morwyr a gweithwyr y dociau ac yn holi am unrhyw longau newydd. Roedd digon o lestri'n mynd ac yn dod bob dydd fel arfer. Slwpiau bach a hwyliai rhwng Charleston, ynysoedd yr arfordir a Safana. Llongau'n cludo teithwyr a nwyddau'n bellach i'r gogledd – i Baltimore, Philadelphia, Efrog Newydd a Boston. Rhai a dreuliai'r flwyddyn yn mynd yn ôl ac ymlaen rhwng Safana a gwahanol ynysoedd yn y Caribî. A phob hyn a hyn cyrhaeddai llong fawr o Brydain. Bid a fo am hanes y llongau a'r cychod, roedd y Strand a'i rhes o dafarndai bach yn dir ffrwythlon ar gyfer lloffa straeon a sïon o bob math.

'Cyrhaeddodd y *Kiawah* y bore yma.' Roedd Grasi'n gyfarwydd iawn â'r slŵp bach. Yn ogystal â chludo nwyddau, roedd y Capten, Virgil Mawgan, yn gwneud gwaith ar ran Cyngor Safana. 'Gwelais Gapten Mawgan pan ddaeth i'r lan. Roedd ar ei ffordd i drosglwyddo neges i'r Cadeirydd, ond dangosais iddo pwy oeddwn i go iawn ac felly dywedodd wrtha i.'

Gweryrodd ceffyl yn uchel rywle y tu allan, a siaradodd dyn, yn ceisio tawelu'r anifail. Oedodd Martin ac edrych ar y drws. Anadlodd yn ddwfn a dechrau siarad eto,

'Daeth y *Kiawah* o Charleston. Dywedodd Capten Mawgan fod y *Seraphim Rose* wrth angor yno hefyd. Cafodd sgwrs â Chapten Hawkins. Mae wedi dysgu enw'r llong a ddaethai â George Whitefield yn ôl i America o Loegr. Y *Buckingham*. Dyna'i henw hi.'

'Dwi ddim yn gyfarwydd â'r enw,' meddai Grasi.

'Fyddet ti ddim. Un o longau rhyfel newydd y brenin ydi hi. Dyma'r tro cyntaf iddi groesi'r môr. Teithiodd Oliver Newton ar yr un llong hefyd. A daeth nifer o Heseniaid o'r llong gyda nhw.'

'Heseniaid?' Gwyddai Grasi am y milwyr Almaenig a oedd wedi ymuno â byddin brenin Lloegr. 'Yn gwisgo lifrai?'

'Wn i ddim. Ddywedodd Capten Mawgan ddim byd am eu dillad. Pam?'

'Mae dynion arfog sy'n ymddangos fel milwyr ond sy'n gwisgo'u dillad nhw'u hunain yn helpu gwarchod Plas Profidens. Ches i ddim cyfle i'w clywed yn siarad, ond dywedodd un o bobl gaeth y blanhigfa eu bod yn siarad Saesneg ag acen ryfedd.'

'Wn i ddim,' dywedodd Martin eto, yn ysgwyd ei ben. 'Ond mae un peth arall. Dysgodd Capten Hawkins fod y *Buckingham* yn hwylio i'r gogledd ar ôl gadael Charleston. I Baltimore, efallai.'

'Ble mae'r *Seraphim Rose* rŵan? Pam na ddaeth Amos Hawkins yn ôl â'r neges ei hun?'

'Doedd Capten Mawgan ddim yn sicr, ond roedd yn meddwl bod Capten Hawkins am fentro dilyn y *Buckingham* o bell.' Cododd ei law, yn sicrhau bod yr het wellt fawr flêr yn sownd ar ei ben. 'Dyna'r cwbl sy gen i.'

Camodd Martin at ddrws yr ysgubor, Grasi ar ei ôl o. Symudodd un o'r drysau mawr ac aeth y ddau allan. Roedd yr haul yn llachar ar ôl golau meddal yr ysgubor a chododd Grasi law i gysgodi'i llygaid.

'*Ay! What'r you two doin thar?*' Roedd llais y gwas stabl yn ddwfn er ei fod yn ei arddegau. Hanner ffordd rhwng y stabl a'r ysgubor oedd o, ar ryw berwyl neu'i gilydd. Gosododd ei ddwylo ym mhoced flaen ei ffedog fawr lwyd a safodd gyda'i goesau ychydig ar led, yn ceisio ymddangos yn ddidaro ac yn fygythiol ar yr un pryd. 'Does gennoch chi ddim hawl i fod yno.' Cododd Martin ei ddwylo fel pe bai'n ildio mewn sgarmes, a cherddodd draw at y llanc.

'*Now, now, thar, young Master,*' meddai'r dyn canol oed, un llaw'n cosi'r cochni ar ei foch, '*no need to get yer hackles up. We's just two poor fellers been sleepin off the heat of the day in that thar barn o yurs.*' Cerddodd Martin at y gwas a sefyll rhyngddo a Grasi. Siaradai ymlaen ac ymlaen, yn rhaffu rhyw stori gymhleth am ddyled a salwch a ffawd. Trodd Grasi ar ei sodlau a cherdded i ffwrdd, yn mynd o amgylch hanner yr ysgubor er mwyn sicrhau na fyddai'r gwas stabl yn ei gweld, cyn newid cyfeiriad a mynd yn ôl am ganol Safana. Ychydig yn ddiweddarach roedd hi'n cerdded i lawr Stryd y Tywysog, yn gwenu iddi'i hun. Gwyddai er nad oedd neb wedi dweud wrthi fod Maria Fuchs mewn cariad â Martin; beth fyddai Maria yn meddwl pe bai hi'n ei weld heddiw, yn ddyn canol oed blin, cochni'r frech dros ei wyneb, a blewiach anwastad hyll dros ei ên?

Treuliodd Grasi y prynhawn hwnnw yn crwydro o gwmpas cyrion gorllewinol y ddinas. Yn rhith y cardotyn o lanc oedd hi o hyd, yn cerdded yn linc-di-lonc o'r stordai ar ben pellaf y Strand i'r buarth o flaen Stabl Broton, yn wyliadwrus rhag ofn bod y gwas stabl o gwmpas. Byddai'n gofyn am geiniog neu damaid o fwyd gan ambell un o'r bobl y daeth ar eu traws yn ystod y crwydro araf hwn. Pan welai gnwd o weithwyr yn sefyll ac yn siarad ymysg ei gilydd ar y Strand, deuai'n ddigon agos i glustfeinio ar eu sgwrs heb dynnu'u sylw. Ar ôl rhai oriau felly, penderfynodd droi i lawr Stryd y Tywysog a chrwydro o gwmpas Sgwâr Sant Siâms eto. Ond cyn cyrraedd y gofod cyhoeddus, dyma gwnstabl yn dod ar ei thraws, dyn a oedd yn rhy dew ar gyfer ei wasgod a'i gôt las. Er bod ganddo'r un pastwn hir â phob cwnstabl yn y ddinas, roedd yn ei ddefnyddio'n fwy fel ffon gerdded.

'*Move along, boy! Don't let me find you loitering around here again!*' Gwgodd yn sarrug ar y dyn, ond trodd a dechrau cerdded yn ôl.

'*Wait!*' Llais dynes ifanc. '*Come here, boy. I have something for you.*' Edrychodd Grasi a gweld dynes yn croesi'r stryd o'r sgwâr. Gwisgai ffrog las golau sidanaidd ei golwg, gyda digon o les o gwmpas ei cholar a het lydan o'r un defnydd glas. Roedd basged fach yn un llaw. 'Mae'n iawn, gwnstabl,' dywedodd wrth y dyn boliog ar gyrraedd y palmant. Cododd y dyn law at ei het drichorn, yn gwrogi i'r ddynes gyfoethog. 'Os ydych

72

chi'n dweud.' Cerddodd i ffwrdd, ei ffon gerdded o bastwn yn clecian ar gerrig y palmant.

'Tyrd yma, hogyn,' dywedodd y ddynes ifanc, 'mae gen i rywbeth i ti.' Estynnodd afal o'i basged. 'Hwde. Mae golwg eithaf llwglyd arnat ti.'

'Diolch.' Pan nesaodd ati i gymryd yr afal, plygodd y ddynes ymlaen nes bod cantel ei het fawr bron â chyffwrdd y sgarff ar ben Grasi. Er bod ei gwisg a'i llais a'i hosgo'n ardderchog, gwyddai Grasi mai Ana oedd hi.

'Gwelais i Martin y bore yma.'

'Gwyddost am yr ysbïwr yn Neuadd y Ddinas felly.' Trodd ei phen, yn ymateb i leisiau dros y stryd; roedd rhyw rai'n mwynhau'u hunain yn y sgwâr, yn chwerthin yn uchel. Ar ôl sicrhau'i hun eu bod yn bell i ffwrdd, plygodd Ana ychydig yn nes eto. 'Mae wedi siarad erbyn hyn.' Gwyddai Grasi felly fod Eachann Mòr wedi llwyddo i lusgo – neu guro – gwybodaeth allan o'r ysbïwr, ond ni ddywedodd air. Dechreuodd fwyta'r afal, yn edrych ar Ana o gil ei llygaid fel pe bai'r llanc yn gwarafun y weddi neu'r foeswers yr oedd y ddyngarwraig yn ei gorfodi arno.

'James Tarpin oedd yr enw a ddefnyddiai, ond John Turner yw ei enw go iawn. Croesodd o Loegr ddwy flynedd yn ôl. Roedd wedi derbyn comisiwn yn Llundain gan yr Ymddiriedolwyr.' Roedd fflach yn llygaid Ana, a rhyw olwg yn dweud ei bod yn agos at fradychu rhith ei chymeriad. 'Mae'i dad o'n was yng Nghastell Windsor.' Gwgodd hi wedyn. 'Mae wedi bod wrthi'n copïo llawer o bapurau cyfrinachol yn y swyddfeydd. Llythyrau rhwng y Dirprwywyr a'r Ymddiriedolwyr. Cynlluniau er mwyn ehangu'r milisia. Papurau swyddfa'r porthladd am y llongau sy'n mynd ac yn dod.' Doedd dim llawer o'r afal ar ôl, ond gwnaeth Grasi sioe o sugno'r craidd a phoeri'r hadau allan. Aeth Ana rhagddi. 'Roedd yn cydweithio â physgotwr er mwyn smyglo'r papurau dros yr afon i Dde Carolina.'

'Pa un?'

'Roger Ash.' Ni ddywedodd Grasi ddim, ond roedd awydd rhegi arni. Dyn wedi'i eni a'i fagu yn Safana oedd Roger Ash. Pa beth oedd wedi'i hudo i wasanaethu gelynion Georgia? Roedd yr Ashiaid yn deulu mawr, y rhan fwyaf ohonyn nhw'n gweithio ar lan yr afon mewn rhyw ffordd neu'i gilydd. A oedd rhagor o fradwyr yn y teulu hefyd? Gorfododd ei meddwl i ganolbwyntio ar Ana eto.

'Ydi Ash wedi'i ddal eto?'

'Nac ydi. Mae'r Cyngor am ddisgwyl iddo rwyfo allan o olwg y ddinas. Gan nad yw'r *Seraphim Rose* yma ar hyn o bryd, mae Capten Mawgan am fynd â'r *Kiawah* ar ei ôl.'

'O'r gorau.' Lluchiodd Grasi weddill craidd yr afal i'r stryd. Ymsythodd Ana a siarad ychydig yn uwch.

'Cofia fod Duw yn helpu'r sawl sy'n ei helpu'i hun. Mae bwyd a enillir trwy lafur gonest yn blasu'n well na bwyd a geir trwy gardota.' Cododd Grasi law at ei hael, y llanc yn ateb y ddyngarwraig gyfoethog gyda salíwt goeglyd.

Aeth Grasi i Neuadd y Ddinas y diwrnod wedyn, yn gwisgo ffrog felen gyda boned fawr wedi'i thynnu dros ei gwallt a'i chlustiau. Merch wen yn ei harddegau hwyr ydoedd, a siaradai Saesneg ag acen de-orllewin Lloegr – acen a ddysgodd yn dda trwy wrando ar Amos Hawkins, gan nad oedd ei ddull o siarad wedi newid llawer yn ystod ei hanner canrif yn America. Dywedai Grasi wrth y clercod yn y Neuadd ei bod wedi ymfudo o Loegr i Charleston gyda'i rhieni a'i brodyr bach; roedd y teulu'n ymweld â Safana am wythnos gan eu bod nhw'n ystyried adleoli yno. Yr unig beth diddorol a glywodd oedd dau glerc ifanc yn hel clecs am un o'u cydweithwyr.

'Dydi James ddim wedi anfon gair i ddweud ei fod yn sâl na dim,' meddai un ohonyn nhw. 'Un peth yw peidio â dod i mewn i'w waith, peth arall yw peidio ag anfon neges.'

'Rhyfedd,' dywedodd y llall. 'Fedra i ddim dweud fy mod i'n or-hoff o'r dyn, ond mae'n gydwybodol iawn. Rhaid cyfaddef. Dwi ddim yn credu'i fod wedi colli diwrnod o waith erioed o'r blaen.'

Aeth yn yr un rhith y diwrnod nesaf i gerdded yn araf ar hyd Stryd y Tywysog a chrwydro o gwmpas Sgwâr Oglethorpe, yn cogio'i bod hi'n syllu'n hir ar y dŵr yn syrthio i mewn i'r ffynnon yn ei chanol ond yn clustfeinio ar sgyrsiau'r bobl a gerddai heibio iddi. Ond ni chlywodd ddim byd o werth.

Angel a'i adenydd a'i freichiau ar led oedd y cerflun yng nghanol y ffynnon, a'r dŵr yn tasgu o ganol cledrau'i ddwylo. Roedd gan yr angel wallt hir ac er ei fod yn ymddangos fel dyn roedd ei wyneb yn lled fenywaidd hefyd.

'*You are the cleverest child here.*' Cofiodd un prynhawn poeth o haf flynyddoedd yn ôl. Roedd y Parchedig Whitefield wedi gofyn iddi eistedd ag o ar y fainc o dan y dderwen fytholwyrdd fawr yn yr ardd fach rhwng y tri adeilad. 'Grasi, a wyddost am angylion?' Tua wyth oed oedd hi ar y pryd, mae'n rhaid.

'Gwn i, Syr,' atebodd yn dawel. 'Gweision yr Arglwydd ydyn nhw.'

'Ie wir, Grasi. Da iawn.' Roedd o'n gwenu arni, a'i wên yn teimlo mor gynnes â'r heulwen, ei sylw yn gwneud iddi deimlo fel rhywun o bwys. 'Gwrywod yw'r angylion yn y Beibl, Grasi. A wyt ti'n deall?'

'Dynion?'

'Wel, ie, ond mae'n well meddwl amdanyn nhw fel bodau

gwrywaidd. Gan eu bod yn perthyn i'r nefoedd ac nid i'r ddaear fel y mae dynion yn perthyn i'r ddaear.'

'Gwela i.' Roedd hi'n deall ei eiriau, er nad oedd hi'n deall ei bwynt.

'Ond, wir i ti, er bod angylion y Beibl yn fodau gwrywaidd, rwyf yn gwbl sicr y gallet ti fod yn un ohonyn nhw.'

'Ond does gen i ddim adenydd, Syr.'

'Gwn i.' Roedd yn chwerthin erbyn hyn. 'Ac rwyt ti'n perthyn i'r ddaear, nid i'r nefoedd.' Gosododd law yn dyner ar ei hysgwydd. Cododd ei law yn uwch a gosod bys o dan ei gên er mwyn codi'i hwyneb a syllu i mewn i'w llygaid. 'Ond pwy a ŵyr, Grasi? Ni wyddom holl gynllun yr Arglwydd. Nid oes yr un ohonom ni yma ar y ddaear wedi gweld y nefoedd. Nid wyf wedi gweld angel o'r blaen, neu, hwyrach, nid wyf yn gwybod os ydw i wedi gweld un.' Gosododd ei law ar ei hysgwydd eto. 'Ond, wir i ti, Grasi. Gallet ti fod yn un o'r angylion. Mae'r galluoedd sydd gennyt yn fwy nag unrhyw blant daearol rwyf wedi dod ar eu traws erioed o'r blaen.'

Ysgydwodd Grasi'i phen a chododd law i sicrhau bod ei boned fawr yn dal yn dwt yn ei lle. Tynnodd ei llygaid oddi ar y cerflun yng nghanol y ffynnon er mwyn edrych o gwmpas y sgwâr. Nid oedd hi yma i hel meddyliau, ond i weld ac i wrando. Crwydrai'n araf o gwmpas y ffynnon, yn clustfeinio ar sgyrsiau'r rhai a ddaeth heibio, ond ni chlywodd ddim byd o ddiddordeb. Penderfynodd symud i leoliad arall. Gadawodd Sgwâr Oglethorpe a cherdded yn araf ar hyd Stryd y Tywysog drwy ganol y ddinas. Trodd i'r gogledd ar Stryd Barnard ac aeth ymlaen nes cyrraedd Sgwâr Decker. Aeth yn araf ar hyd y llwybr, llenni'r mwsog Sbaenaidd a hongiai o'r coed ar bob ochr iddi yn hanner cuddio rhai o'r bobl eraill a oedd yn y sgwâr ar y pryd. Yn y diwedd, daeth at Dŷ'r Farchnad, yr adeilad mawr hwnnw a oedd yn fwy o neuadd na thŷ. Aeth i mewn trwy'r drysau mawr agored a dechrau symud yn araf o stondin i stondin, yn edrych yn swil o dan big ei boned pan geisiai masnachwr dynnu'i sylw at ei nwyddau. Ar ôl oedi ychydig o flaen y stondin les aeth ymlaen eto. Yno yn eistedd yn ei gadair arferol oedd Zadoc, tomen dwt o gasgenni pren bychain yn ei ymyl. Er bod Grasi'n adnabod yr hen ddyn yn iawn, nid oedd o'n ei hadnabod hi yn ei rhith bresennol. Amneidiodd Zadoc yn gwrtais arni a gwenodd hi'n swil, yn gostwng ei phen er mwyn gadael i'w boned guddio'i hwyneb.

Crwydrodd yn araf at y stondin nesaf ac edrych ar y sgidiau lledr newydd. Cymerodd ddiddordeb neilltuol mewn un pâr, a dechreuodd y masnachwr ei holi am faint ei thraed. Clywodd lais. Dyn yn holi Zadoc. Roedd y llais yn lled gyfarwydd, ond ni chododd ei phen i edrych. Yn hytrach, cadwai ei llygaid ar yr esgid yn ei llaw, pig ei boned dros ei hwyneb, yn gwrando'n astud ar y sgwrs. Un o gludwyr y dociau oedd o, dyn a oedd yn gwneud gwaith i'r tafarnwyr yn achlysurol hefyd. Dywedodd wrth Zadoc fod Jon Syms o Dafarn y Bluen wedi'i yrru i holi am rym. Ac ar ôl trafod telerau a chytuno ar bris, dechreuodd y ddau ddyn siarad am bethau eraill. Ac felly clywodd Grasi fod llong fawr newydd fwrw angor yn yr afon. Llestr braff a thri hwylbren o'r enw'r *Samling Gull*. Newydd lanio o Loegr.

'*Fun England?*' meddai Zadok, gan ailadrodd y cwestiwn yn Saesneg, ac yntau wedi cofio yn ei gyffro nad oedd y dyn hwn yn siarad ei famiaith. 'Ie,' atebodd y dyn. 'O Fryste.' Dechreuodd yr hen fasnachwr sôn am ei obaith y byddai llong o'r fath yn prynu cyflenwad go dda o rym ganddo cyn cychwyn ar ei mordaith hir.

Symudodd Grasi ychydig yn fwy pwrpasol, yn gadael Tŷ'r Farchnad mor gyflym â phosib heb dynnu sylw ati'i hun. Rhuthrodd trwy'r sgwâr ac i lawr Stryd yr Ymddiriedolwyr. Aeth heibio i Sgwâr Johnson a throi i'r de ar Stryd Lincoln. Ymlaen yr aeth, yn gadael y blociau twt o dai cerrig y tu ôl iddi nes dod i'r ardal led wledig ar gyrion y ddinas a'i chartref hi'i hun. Newidiodd yn gyflym, yn ailymddangos fel y cardotyn ifanc, a brasgamodd yn ôl i lawr Stryd Lincoln, yr holl ffordd o'r de i'r gogledd, nes cyrraedd y Strand. Roedd yr haul ar fachlud, a gwyddai na fyddai'n dychwelyd adref ar gyfer ei swper, felly penderfynodd fegian am fwyd i ddechrau.

Aeth o gwmpas y tafarndai bach yng nghanol y Strand, y rhan fwyaf ohonyn nhw'n gabanau un ystafell gyda'r rhan fwyaf o'r yfwyr yn eistedd wrth fyrddau y tu allan, yn mwynhau'r awel a chwythai o'r afon. Roedd y ffaith bod rhai o'r tafarndai bychain yng nghysgod Neuadd y Ddinas yn gwneud iddyn nhw ymddangos yn llai byth hyd yn oed, gan fod yr adeilad mawr praff wedi'i adeiladu o gerrig gwenithfaen a brics cochion ac yn ymddangos fel pe bai'n perthyn i fyd gwahanol i eiddo'r tafarnau pren simsan. Oedodd Grasi yn ymyl un o'r dociau er mwyn astudio'r llongau wrth angor yn yr afon. Roedd yn hawdd gweld y *Samling Gull*, gan fod y llong fawr yn ymyl Ynys Hutchinson yn angorfa arferol y *Seraphim Rose*. Ond nid y llong, ond y bobl a oedd wedi teithio arni a oedd o ddiddordeb iddi.

Roedd yn ddigon hawdd cael hyd i forwyr a gweithwyr doc meddw a fyddai'n fodlon siarad.

'Ie, ie, llong o Fryste,' meddai un o'r yfwyr wrthi, yn cadarnhau'r stori a glywsai yn Nhŷ'r Farchnad. Er nad oedd o'n ei hadnabod hi, roedd hi'n gwybod yn iawn pwy ydoedd – Robin Thackery, dyn a rwyfai un o'r cychod bach a fferiai'r bobl a'r nwyddau rhwng y llongau wrth angor yn yr afon a dociau'r ddinas. 'Mi wnaeth hi fwrw'i hangor wrth i'r haul fachlud heddiw.' Trwy holi Robin ymhellach, dysgodd fod cychwr arall wedi fferio rhai o deithwyr y *Samling Gull* o'r llong i'r lan, a gyda rhagor o chwilio daeth o hyd iddo mewn tafarn arall. Albanwr digon siriol o'r enw Goraidh oedd o; er na ddangosodd Grasi ei bod hi – neu, yn hytrach, y llanc mewn dillad carpiog – yn deall ei famiaith, enillodd ei galon trwy ddweud stori am rieni a oedd wedi marw.

'Fy ngobaith mawr,' meddai'r llanc wrth Goraidh, 'yw bod rhai o deulu fy mam neu deulu fy nhad draw ym Mhrydain yn chwilio amdana i.' Cododd law, yn sychu deigryn o gornel un llygad. 'Maen nhw'n gwybod fy mod i'n byw yma yn Safana, a dwi'n gobeithio y daw un ohonyn nhw yma i chwilio amdana i ryw ddydd.' Agorwyd calon y cychwr, a llifodd gwybodaeth o'i geg am yr holl deithwyr yr oedd wedi'u fferio o'r *Samling Gull* i'r dociau'r noson honno. Ac yn y modd hwnnw y dysgodd Grasi fod un dyn yr oedd hi'n awyddus i'w weld wedi cyrraedd Safana. Roedd Goraidh wedi gofyn i un o gludwyr y Strand fynd â'i gist i'w ystafell. Nid oedd gan y teithiwr ddigon o arian i dalu am lety yn un o leoedd mwy moethus y ddinas, meddai, felly aethpwyd ag o i Dafarn yr Ardd. Y hi oedd yr unig dafarn ar lan yr afon a oedd yn ddigon mawr i osod ystafelloedd gwely. Diolchodd y llanc yn emosiynol i Goraidh. Ymadawodd Grasi, yn gwybod beth fyddai natur ei gwaith yn y bore.

7

Tafarn yr Ardd

G ADAWODD GRASI EI chartref ar gyrion deheuol y ddinas ar ôl brecwast. Roedd wedi gosod ei gwallt mewn cocyn bach tynn ar gefn ei phen, a'i guddio â het drichorn seml a oedd yr un lliw â'r crys cotwm ysgafn a'r trowsus llac llwyd-frown a wisgai. Cerddai'n bwrpasol i lawr Stryd y Tarw, ei sgidiau gwadnau caled yn clecian ar gerrig y palmant. Dyn ifanc o dras Affricanaidd ydoedd. Gwas tŷ ar berwyl rhyw neges ar ran ei feistr, yn cerdded yn gyflym, heb amser i wastraffu.

Cyrhaeddodd Sgwâr Parsifal a throi i'r dde ar Stryd Efrog, yn ciledrych ar draws y stryd ar y pyramid y gallai ei hanner gweld trwy'r mwsog hir a hongiai o'r coed derw bytholwyrdd. Aeth ymlaen i gyfeiriad y gorllewin. Cerddai'r gwas yn dalog a'i ben yn uchel; roedd yn benderfynol o blesio'i feistr y diwrnod hwnnw ac yn gobeithio cael y dyrchafiad cyflog y bu'n dyheu amdano ers tipyn.

Aeth heibio rhes arall o dai mawr moethus ac yna daeth at Stryd Lincoln. Oedodd, yn gadael i gert a cheffyl fynd heibio, carnau ac olwynion yn clecian ar gerrig y stryd. Mynd i gyfeiriad y gogledd oedd y cerbyd, yn teithio'r holl ffordd i lawr Stryd Lincoln i'r Strand a dociau'r afon, casglodd Grasi. Roedd y cert yn wag; rhaid bod llwyth yn ei ddisgwyl ar un o'r dociau neu yn un o stordai'r Strand. Croesodd y stryd, yn meddwl am ennyd am y dref honno'n Lloegr na fyddai hi byth yn ei gweld yr enwyd Stryd Lincoln ar ei hôl, ond wrth gamu i fyny i'r palmant eto gorfododd ei meddwl i ganolbwyntio ar ei gwaith. Cerddodd ymlaen. Roedd y gwas tŷ ifanc diwyd ar drywydd ei neges, ond symudai llygaid Grasi yn slei yng nghysgod cantel ei het, yn astudio wynebau'r bobl a oedd yn cerdded y palmentydd neu'n mynd heibio ar gefn ceffyl neu ar sêt cert.

Daeth at Sgwâr Oglethorpe, y coed derw bytholwyrdd gosgeiddig a'u llenni o fwsog Sbaenaidd yn sefyll ar y ffin rhwng y gwair a'r strydoedd. Croesodd Grasi'r stryd er mwyn cerdded trwy'r sgwâr, gan mai dyna oedd y ffordd gyflymaf yn ogystal â'r fwyaf pleserus. Roedd yn argoeli i fod yn ddiwrnod poeth, ac roedd nifer o bobl wedi dod i fwynhau yr awyr iach yn y sgwâr cyn i'r haul godi'n rhy uchel. Eisteddai cwplau ifainc ar y gwair o dan ganghennau'r coed mawr, y mwsog yn chwifio'n araf yn y gwynt. Safai gwraig oedrannus yn ymyl y ffynnon, merch ifanc – morwyn neu gydymaith o ryw fath, wyres efallai – yn ei hymyl, y ddwy wedi codi'u parasolau rhag yr haul. Roedd y wraig fel pe bai'n astudio'r cerflun yng nghanol y ffynnon, yr angel a'i adenydd a'i freichiau ar led, dŵr yn tasgu o'i ddwylo i sblasio yn y pwll. Ond edrychodd y ferch ar y gwas prysur wrth iddo frasgamu heibio iddi a chododd y dyn ifanc ei law a chyffwrdd cantel ei het drichorn wrth amneidio'i ben ychydig, yn ei chyfarch yn gwrtais ond heb ddweud gair. Camodd Grasi ymlaen, ac er nad oedd yr olwg ddifrifol ar wyneb y gwas wedi newid dim, gwenodd hi iddi'i hun.

Roedd rhywun arall yn cerdded ar y llwybr i'w chyfeiriad hi. Benyw ifanc arall, ond roedd hon o dras Affricanaidd. Roedd ei dillad yn syml ond yn safonol.

Neidiodd calon Grasi i'w gwddwf. Agnes. Ei ffrind gorau. Yr unig wir ffrind a fu ganddi gydol ei phlentyndod. Yn cerdded yn syth ati. Ceisiodd reoli curiad ei chalon a rhythm ei hanadl. Ceisiodd sicrhau nad oedd hi'n arafu'i chamre. Edrychodd Agnes arni, er ei bod yn amlwg mai'r gwas ifanc yn unig a welai, roedd rhywbeth yn ei llygaid deallus, rhyw awgrym ei bod hi'n hanner adnabod y llanc neu o bosib yn synnu nad oedd hi wedi'i weld o yn y ddinas erioed o'r blaen. Gwenodd y gwas a chododd law at ei het drichorn, yn amneidio'n gwrtais wrth gerdded heibio i'r fenyw ifanc.

Cododd ton o euogrwydd ynddi wedyn. Nid oedd wedi cael cyfle i alw ar Agnes ers peth amser. Gwyddai fod ei ffrind yn gwneud yn dda iawn. Roedd yn gweithio fel cynorthwywraig bersonol i weddw gyfoethog ac yn byw gyda hi mewn tŷ crand yn ymyl Sgwâr Oglethorpe. Roedd nifer o ddynion wedi gofyn iddi eu priodi, ond roedd Agnes yn mynnu byw'n annibynnol, meddai. Roedd Agnes yn meddwl bod Grasi hithau'n gweithio fel cyfieithydd i Fearchar MacGilleBhràth, yn treulio peth o'i hamser yn Safana ond y rhan fwyaf o'i dyddiau yn y gorsafoedd masnach ar lannau'r afon Safana yn bellach i'r gorllewin. Roedd Grasi wastad yn teimlo ychydig yn euog am dwyllo'i ffrind felly, ond nid oedd ganddi ddewis. Byddai'n rhaid galw arni cyn hir, penderfynodd. Roedd yn hen bryd i'r ddwy fachu cyfle i roi'r byd yn ei le.

Sylwodd Grasi'i bod hi'n hel meddyliau a bod ei chamre'n arafu ychydig a phlethodd ei dwylo'n dynn y tu ôl i'w meingefn, yn arwydd o'i phenderfyniad. Canolbwyntia ar dy waith, meddai wrthi'i hun heb symud ei gwefusau.

Cyrhaeddodd ffin ogleddol y sgwâr a chroesi Stryd y Tywysog, gan symud i'r ochr er mwyn cerdded ar balmant Stryd Abercorn. Chwythodd y gwynt o'r gogledd a daeth ychydig o arogleuon y Strand i'w thrwyn – Y Farchnad Bysgod ac aroglau digamsyniol yr afon, cymysgedd o surni pydredd a ffresni bywyd. Roedd hi'n anelu am y sgwâr nesaf, *Filature Square*, Sgwâr y Dirwyndy, ac roedd bron wedi cyrraedd y gornel pan welodd gerbyd yn dod ar hyd Stryd yr Ymddiriedolwyr. Craffodd, heb oedi'i chamre: dau geffyl praff yn tynnu coets gain, wedi'i phaentio'n ddu gyda phatrymau euraid cymhleth yn chwyrlïo o gwmpas y drws, y gyrrwr yn gefnsyth ar y sêt uchel, colar ei gôt lwyd wedi'i thynnu i fyny at ei glustiau er gwaethaf y gwres, ei wyneb yng nghysgod ei het drichorn dywyll. Nid oedd wedi gweld y cerbyd ers y prynhawn hwnnw bythefnos yn ôl pan oedd ar ei ffordd i dŷ Fearchar MacGilleBhràth, a gyda chymaint o bethau eraill yn digwydd nid oedd wedi holi asiantau eraill y Gwasanaeth amdani. Byddai'n gwneud ar ôl cwblhau'i thasg heddiw. Byddai'n gwneud heno, efallai. Pan gyrhaeddodd y gornel, roedd y goets wedi mynd heibio, ond pan drodd ei phen cyn croesi'r stryd, gwelodd gefn du'r cerbyd cain yn symud oddi wrthi i lawr Stryd yr Ymddiriedolwyr.

Cerddodd rhwng dwy o'r coed mawr a oedd yn diffinio Sgwâr Ffilatiwr, fel pob un sgwâr arall yn Safana. Yno o'i blaen yng nghanol y gofod cyhoeddus oedd y Dirwyndy, adeilad hirsgwar wedi'i wneud o gerrig gwenithfaen, yn union debyg i Dŷ'r Farchnad yn Sgwâr Decker o ran maint a ffurf. Ond yn hytrach na dwy res o stondinau ar hyd y waliau, yr hyn a welid trwy'r drysau agored oedd y peiriannau pren cymhleth yn debyg i fframiau gwau mawr. Daeth yn nes a gallai glywed y fframiau dirwyn yn clencian ac yn clacian wrth i'r crefftwyr weithio'r dolenni a'u symud, yn tynnu llinynnau gwynion tenau o gocynnau pryfed sidan a'u lapio'n dwt o gwmpas bobinau'r peiriannau.

Daeth aroglau arall i'w thrwyn wrth iddi gerdded heibio'r Dirwyndy, ychydig yn debyg i ddrewdod y Farchnad Bysgod ond yn llai ymosodol. Cofiodd un o'i gwersi pan oedd yn ferch fach ym Methesda, a'u hathrawes, Miss Lisabeth, wedi dod â llond basged o gocynnau pryfed sidan iddyn nhw eu hastudio. *'Smells like fish!'* ebychodd Agnes. *'Yes it does, a little,'* atebodd Miss Lisabeth. *'It's a substance inside the silkworm that helps it make its silk.'* Dychrynodd rhai o'r genethod ifainc wrth ddysgu bod rhyw fath o boer neu lysnafedd mewn rhyw fath o fwydyn yn helpu i greu'r sidan yr oeddyn nhw'n dysgu ei wnïo, ond cafodd Grasi y darganfyddiad yn ddiddorol.

Ond nid geneth a ddysgodd i wnïo brethyn, cotwm a sidan fel rhan o'i haddysg ysgol ydoedd heddiw, ond dyn ifanc, gwas ar drywydd neges ei feistr. Gadawodd Sgwâr Ffilatiwr, gan groesi Stryd Bryan yn ofalus wrth fod nifer o gerti'n anelu am y gornel a rhan ogleddol Stryd Abercorn, rhai o'r cerbydau'n cael eu tynnu gan geffylau, rhai gan asynnod, a rhai certi bychain yn cael eu gwthio gan weithwyr. Roedd rhai'n llwythog â bwydydd a diodydd i'w gwerthu i dafarndai'r Strand ac i'r llongau a oedd yn ymbaratoi ar gyfer mordaith, ond roedd y rhan fwyaf o'r cerbydau'n wag, ar eu ffordd i brynu pysgod neu nwyddau eraill o ryw fath. Cyrhaeddodd Grasi balmant Stryd Abercorn yn ddiogel a chyn pen dim roedd y Strand yn ymagor o'i blaen, y Farchnad Bysgod ar y chwith a darn agored o'r rhodfa ar y dde. Oedodd am ychydig, yn astudio'r dociau y tu hwnt i'r Farchnad Bysgod a'r llongau wrth angor yn yr afon. Yno yn ymyl Ynys Hutchinson oedd y *Samling Gull* o hyd. Doedd dim golwg o long Amos Hawkins, y *Seraphim Rose*.

Trodd Grasi i'r dde a cherdded ar hyd rhodfa'r Strand. Roedd y lan serth yn uchel a'r afon Safana felly'n weddol bell oddi tani, y rhan fwyaf o'r lan wedi'i chefnogi â brics a cherrig, gyda grisiau yn arwain i lawr o'r rhodfa i'r dociau. Cerddodd Grasi ymlaen i gyfeiriad y dwyrain, heibio i'r grisiau a'r dociau olaf. Ar gyrion y ddinas ildiodd y Strand i ardal a ymddangosai'n debycach i barc nag i ardal fasnachol brysur. Daeth Grasi at ddiwedd ffurfiol y ddinas, bloc o dai cerrig a'u ffenestri'n edrych ar yr afon yn dod i ben yn dwt a'r wlad yn dechrau.

Eithr nid cefn gwlad ydoedd mewn gwirionedd, ond yr ardal yr oedd trigolion Safana'n ei hadnabod fel yr Ardd. Roedd wedi'i chynllunio gan James Oglethorpe ei hun yn nyddiau cynnar Safana ac wedi'i chreu am nifer o resymau gwahanol, yn ofod cyhoeddus i'w fwynhau, yn debyg i'r sgwariau, ond hefyd yn feithrinfa ar gyfer coed a phlanhigion masnachol. Bu'r lle hwn yn fwrlwm o waith ac arbrofi yn ystod y cyfnod hwnnw, gyda garddwyr a ddaethai o Ewrop yn cydweithio â rhai o'r Mvskokv a chyn-gaethweision o Dde Carolina er mwyn meithrin cotwm, indigo, india-corn a ffa a fyddai'n ffynnu yn yr hinsawdd arfordirol. Yma hefyd y plannwyd y coed merwydd ar gyfer diwydiant sidan Safana. Ymddangosai fel perllan yn hytrach na gardd, gan nad oedd y gofod gwyrdd yn cael ei ddefnyddio ar gyfer dim byd arall bellach ar wahân i feithrin y coed arbennig hynny yr oedd y pryfed sidan yn byw ynddynt. Deuai rhai o drigolion y ddinas i gerdded yn 'yr ardd' o hyd, ond rhodio ar hyd rhesi twt o goed merwydd gwynion fydden nhw, efallai'n gwylio'r llanciau a'r llancesi a ddringai'r coed er mwyn cribinio'r cocynnau sidan yn ofalus o'r canghennau.

Yr unig ran ohoni a ymddangosai fel gardd bellach oedd y darn bach o dir rhwng glan yr afon a'r coed merwydd. Yma y tyfai coed blodeuog bychain – aseleas, cwyrwiail a magnolias wedi'u plannu mewn llwyni twt. Roedd lôn y Strand yn troi'n llwybr yma, a'r llwybr hwnnw'n plygu rhwng y llwyni hudolus at ddrws Tafarn yr Ardd. Er ei bod hi'n fis Medi, roedd nifer o flodau ar y coed bychain o hyd, diolch i hinsawdd arfordirol Georgia. Ond nid oedodd Grasi i edmygu'r smotiau pinc, coch a gwyn yn arnofio yn y llwyni wrth iddi frasgamu ar hyd y llwybr. Roedd y drws ym mhen yr adeilad hirsgwar, nid yn ei ganol, gan nad oedd wedi'i gynllunio fel tafarn yn wreiddiol. Roedd waliau brics cochion y llawr gwaelod wedi'u codi er mwyn creu llysieufa ar gyfer planhigion bychain yr ardd, ond roedd y to tryloyw gwreiddiol wedi hen fynd, y chwareli gwydr wedi'u defnyddio i lenwi ffenestri rhai o dai'r ddinas, a llawr ychwanegol wedi'i godi – gyda phren yn lle brics, yn wahanol i'r rhan isaf – pan drawsffurfiwyd yr adeilad yn dafarn. Hongiai arwydd uwchben y drws heb ysgrifen arno, dim ond darlun o goeden ffantasïol yn gyforiog o flodau o bob lliw.

Aeth Grasi trwy'r drws. Roedd nifer o fyrddau crynion a chadeiriau yn yr ystafell gyffredin, a phlatiau gydag olion brecwast ar rai ohonyn nhw. Roedd dau ddrws bach ym mhen arall yr ystafell, un yn ymagor ar góridor cul yn arwain at y parlyrau yfed bychain, a'r llall wedi'i gau. Gwyddai Grasi fod hwn yn arwain at y grisiau a âi i fyny at y llawr arall ac ystafelloedd gwely'r gwesteion. Cyn iddi gymryd mwy na dau gam, ymddangosodd perchennog y dafarn, Tom Curtain, yn gwisgo ffedog fawr fudr a sgarff goch wedi'i lapio'n dynn o gwmpas ei ben.

'Can I help you?' Roedd Grasi'n adnabod Tom yn iawn, ond nid oedd o'n adnabod y gwas ifanc a safai o'i flaen yn ystafell gyffredin ei dafarn.

'Gallwch,' atebodd Grasi yn llais y gwas. 'Mae gennyf neges ar gyfer un o'ch gwesteion. Un a gyrhaeddodd ddoe ar y *Samling Gull* o Fryste.' Camodd Tom at y bwrdd agosaf a dechrau codi platiau budron. Atebodd heb godi'i ben.

'I fyny'r grisiau, y drws cyntaf ar y chwith. Mae newydd orffen ei frecwast. Fo oedd yr olaf i fwyta.' Mae'n debyg na chlywodd Tom ddiolch y gwas uwchben y sŵn wrth iddo osod tancard pewter mawr ar ben y platiau yn ei law.

Aeth Grasi at y drws, ei agor a chamu i fyny'r grisiau pren gwichlyd. Gwelodd nad oedd neb arall yn y córidor a redai'n syth trwy ganol y llawr cyntaf, gyda thri drws ar bob ochr, ond clywodd rywun yn canu o'r tu ôl i un o'r drysau'n bellach i ffwrdd – llais dyn nad oedd yn gerddor o fath yn y byd, ac er na allai glywed y geiriau roedd yr alaw'n swnio fel un o'r caneuon môr cyfarwydd a glywid gan y llongwyr ar y Strand. Curodd ar y drws cyntaf ar ei chwith, yn bwrpasol, y gwas ar drywydd ei neges. Peidiodd y canu am ennyd. Arhosodd Grasi, y gwas yn sefyll yn gefnsyth. Dechreuodd y canu eto. Pan oedd Grasi yn ystyried cnocio'r eildro, clywodd sŵn y llawr yn gwichian yr ochr arall i'r drws.

'Helô?' galwodd llais dyn o'r tu mewn, ac wedyn agorodd y drws. Yno, yn sefyll o'i blaen oedd y teithiwr; dyn ifanc tua'r un oed â Grasi ond tipyn yn hŷn na'r gwas, ei lygaid yn fywiog a'i aeliau trwchus wedi'u codi'n rhyfeddol o uchel wrth iddo astudio'r llanc o dras Affricanaidd a safai ar riniog ei ystafell. Ffurfiai trwyn main hir y dyn linell serth a arweiniai'r llygaid at y gwefusau tenau oddi tano. Hongiai gwallt tywyll llipa i lawr dros ei ysgwyddau. *'May I help you, my lad?'*

Atebodd y gwas, yn dweud bod ganddo neges, a chafodd wahoddiad i ddod i mewn i'r ystafell. Ar ôl i'r drws gau y tu ôl iddi, anerchodd Grasi y dyn yn Gymraeg gan ddefnyddio'i llais ei hun.

'Gwn pwy ydych chi, Mister Williams. Rydym ni'n rhannu nifer o ffrindiau.'

Neidiodd y Cymro ifanc yn ôl, a bu bron iddo faglu dros y dillad a'r llyfrau a oedd yn gorwedd mewn tomenni anniben yn ymyl y gist fawr agored. Gorffennodd Grasi egluro.

'Ysgrifennodd y Cadfridog Oglethorpe i ddweud y byddech chi'n dod i Safana.' Roedd aeliau'r Cymro wedi'u codi'n rhyfeddol o uchel a'i lygaid fel pe bai wedi gweld ysbryd. 'Mae James Oglethorpe yn adnabod rhai o'ch ffrindiau chi.' Roedd y dyn yn syllu'n fud o hyd. 'Cylch William Jones o Langadfan, er enghraifft,' ychwanegodd Grasi, yn gobeithio y byddai'r eglurhad yn ei sadio. 'Cyfeillion Cymru Rydd.' Dechreuodd y dyn sbladdrio ac ar ôl ychydig trodd y sbladdrio'n eiriau.

'Y. Y. Ych, 'ych chi'n siarad Cymrêg?'

'Ydw.'

'A, a benyw 'ych chi?'

'Ie, Mister Williams. Maddeuwch i mi y ddichell, ond rhaid bod yn ofalus y dyddiau hyn.'

'Y dyddie hyn?'

'Ie, Mister Williams. Rydych chi wedi cyrraedd Georgia ar adeg dyngedfennol.' Roedd aeliau'r dyn wedi'u codi'n uwch hyd yn oed, pob un yn gwneud siâp bwa ac roedd y llygaid oddi tanynt fel pe baent am neidio allan o'i wyneb. Ysgydwodd Edward Williams ei ben, fel pe bai'n cael trafferth dilyn y sgwrs.

'Mae'r sefyllfa wleidyddol yn gymhleth,' ychwanegodd Grasi, 'ac mae peryglon o'n cwmpas ym mhob man.'

'Wel, sa'n gwpod y cyfan. Heddi yw fy niwrnod cynta yma, fel 'ych chi'n gwpod. Ond ma syniad 'da fi o ran beth sy'n dicwdd yn America y dyddie hyn.' Pesychodd. 'Cy. Cy. Cy-fei-ll.' Pesychodd yn waeth, a chodi llaw at ei geg.

'Cyfeillion Cymru Rydd,' cynigiodd Grasi. 'Rydych chi'n rhannu gwybodaeth am y sefyllfa wleidyddol yn America.'

Amneidiodd Edward Williams, yn dangos ei bod hi'n gywir. Ysgydwodd ei ben yn galed, fel un yn ceisio dadebru, a gwthiodd ei wefusau main allan, ei geg yn ymdebygu i big aderyn o ryw fath. 'Ma'n ddrwg 'da fi. Rhaid i chi fadde i fi am fod mor ddwl. Wi'n ei cha'l yn anodd i gymryd popeth i miwn. Sa'n siŵr os wi weti cwnnu lan neu os wi'n cyscu o hyd ac yn breuddwytio. Wi weti bod yn edrych mlân at gwrddyd â rhai o dricolion duon rhyddion Georgia. Ond.' Cododd law a chrafu'i ben. 'Ond feddylies eriod y bydde rhai ohonoch chi'n siarad Cymrêg.'

'Gallaf eich sicrhau chi, Mister Williams, nad ydych chi'n cysgu nac yn breuddwydio. Rwy'n siarad llawer o ieithoedd, fel y mae'n digwydd.'

'Os yw'ch gafel ar bob iaith gystal â'ch Cymrêg, rych chi, wel, rhaid eich bod chi ymysg ysgolheicion penna'r Amerig!'

'Mae'n ddrwg gen i, ond does dim amser i drafod pethau felly ar hyn o bryd. Mae materion pwysfawr yn mynnu sylw.'

'Wel.' Tynnodd y Cymro y llaw a fuasai'n cosi'i ben i lawr yn araf, yn cribinio'i fysedd trwy'i wallt hir. 'Dewch i ishta.' Eisteddodd o ar y gwely ac eisteddodd Grasi yn y gadair yn ymyl y ddesg fach ar yr ochr arall i'r gist.

'Diolch yn fawr, Mister Williams.'

'Gan fod ych Cymrêg chi mor ardderchog, cewch fy ngalw wrth enw arall wi weti'i fabwysiatu'n ddiweddar.' Daeth pwl o besychu drosto a chododd law at ei geg. Aeth ymlaen am dipyn, ei gorff cyfan yn ysgwyd oherwydd grym y peswch. 'Mae'n flin 'da fi. Ma'r hen focfa'n beth annifyr.' Edrychodd yn synn arni, ei aeliau'n codi eto fel pe bai'n ei gweld hi am y tro cyntaf eto. 'Ble o'n i?'

'Eich enw chi.'

'Ie, ie. Siŵr iawn. Mae beirdd Cymru a gweddillion yr Hen Frytanied a dynon, y, dynon a benwod llengar o bob math weti dychra 'ngalw i'n Iolo Morganwg.'

'O'r gorau, Mister Morganwg.'

Ceisiodd y Cymro siarad eto, ond dychwelodd y peswch i'w rwystro. Pan gafodd ei wynt ato, gwenodd arni.

'Cewch chi 'ngalw i'n Iolo.'

'O'r gorau, Iolo. Diolch.'

'Gwetsoch chi fod 'da ni rai o'r un ffrindie.' Datganiad ydoedd, nid cwestiwn. 'Rhai yng nghylch William Jones o Langadfan, yfe?'

'Ie. Cyfeillion Rhyddid Cymru.'

''Na fe, 'na fe. Ma'n gallu drysu dyn, y ffaith bod Cyfeillion Rhyddid Cymru a hefyd Cyfeillion Cymru Rydd, ond yr un un bobol ytan nhw mewn gwirionedd.'

'Felly rwyf yn ei ddeall.' Gwenodd Grasi, yn ceisio'i gorau i fod yn amyneddgar. 'Fel yr oeddwn i'n ceisio'i egluro, daeth neges dro'n ôl yn dweud y byddech chi'n dod i Safana ryw bryd.'

'A dyma fi!' Curodd y Cymro ei ddwylo'n fuddugoliaethus, gwên ar ei wyneb. 'Gwedwch nawr, beth yw'r materion pwysfawr hyn?'

Er bod Iolo Morganwg mewn cysylltiad â rhwydwaith yng Nghymru a oedd yn gwrthwynebu caethwasiaeth, nid oedd yn gwybod am Gyngor Safana. Gwyddai fod y ddinas yn ganolbwynt i'r grymoedd a weithiai dros ryddid yn America, ond dyna'r cwbl. Ar ôl i Grasi orffen crynhoi'r hyn y gallai'i ddadlennu am y Cyngor a'i weithgareddau, dechreuodd y Cymro grafu'i ben eto.

'Sa'n deall un peth. Pam nad yw Jâms Oglethorpe ei hun wedi dod yn ôl i Safana ers cymint o flynydde?'

'Mae ganddo ddigon o bethau eraill i'w gadw'n brysur yn Lloegr, mae'n siŵr.' Gwelodd Grasi nad oedd ei hateb wedi'i fodloni, ac er ei bod hi'n awyddus i ddechrau gofyn cwestiynau iddo, penderfynodd sicrhau'i gydweithrediad llawn drwy ymhelaethu. 'Mae'n amhosib dweud, ond credaf fod ei agwedd wedi newid ychydig am reswm penodol. Buasai gwerthu gwin, cwrw, rym a phob math o wirodydd yn anghyfreithlon yma yn Georgia ar y dechrau. Roedd yn rhan o gynllun y Cadfridog Oglethorpe, yn wedd ar y gymuned ddelfrydol yr oedd am ei chreu yma. Ond collodd bleidlais dros ugain mlynedd yn ôl.'

'Pleitlais?' Dechreuodd besychu eto, a chododd law at ei geg. Arwyddodd gyda'i law arall y dylai hi barhau â'i stori.

'Do. Roedd yr Ymddiriedolwyr eraill o blaid newid y gyfraith. A dyna ddigwyddodd. Felly, mae'r Cadfridog Oglethorpe yn parhau i gadeirio Bwrdd yr Ymddiriedolwyr ac mae'n gwneud ei orau yn Llundain i sicrhau bod caethwasiaeth yn parhau'n anghyfreithlon yma, ond mae'i agwedd wedi suro ychydig. Fel y dywedais i, mae'n amhosib dweud. Ond dyna yw fy nghasgliad i.'

'Wel, wel. Os yw dyn am greu Iwtopia, ma sawl ffordd o fynd abothu'r peth.'

'Oes. Nawr 'te, Mister Williams –'

'Iolo!' Pesychodd ychydig. 'A pha enw y dylen i ei roi arnoch chi?'

'Mae'n well i mi beidio â rhannu fy enw ar hyn o bryd. Mae'n ddrwg gen i, ond felly y mae.'

Gwgodd y Cymro ychydig. 'O'r gore. Ma ffrind yn ffrind, enw neu beido.'

'Hoffwn ofyn rhywbeth i chi.'

Atebodd Iolo Morganwg trwy amneidio'n frwdfrydig, ei wallt hir yn symud yn donnog yn ôl ac ymlaen dros ei ysgwydd. 'Wrth gwrs!'

'A ydych chi'n gwybod rhywbeth am y Cymro Goronwy Owen?'

'Gronw Ddu?'

'Ie, felly y mae rhai'n ei alw.'

'Wff!' Daeth pwl hegr o besychu drosto eto. 'Ma'n cyfansoddi cerddi gwirion heb arlliw o synnwyr ar eu cyfyl, er nad os bardd cystal ag e'i hun yn ei farn e'i hun!' Pesychodd eto, ei holl gorff yn ysgwyd gyda'r ymdrech.

'O'r gorau, Iolo. Ond, gyda phob parch, does gen i ddim amser i drafod barddoniaeth heddiw.'

'Ma'n ddrwg 'da fi. Ma clywed yr enw yn 'y nghorddi i. Ma rhai o Gymry llengar sir Fôn a Llundain yn sôn am Ronw Ddu fel pe bai'n Daliesin Pen Beirdd y Gorllewin, ond llo meddw heb synnwyr gŵydd yw –'

'Mae'n wir ddrwg gen i, Iolo, ond –'

'Ie, ie. Eitha reit. Ma'n ddrwg 'da fi. Nawrte.' Pesychodd eto ac wedyn dechreuodd adrodd popeth a wyddai am gysylltiadau Goronwy Owen. Roedd gan gwpl o esgobion yn ne Lloegr feddwl uchel ohono. Roedd rhai o'i gydnabod yng ngogledd Cymru wedi buddsoddi mewn llongau yn Lerpwl a gludai gaethweision o Affrica i America. Nid oedd dim byd nad oedd Grasi yn ei wybod yn barod. Dechreuodd droi'r sgwrs at farddoniaeth unwaith eto pan aeth i hwyl wrth ddisgrifio ffaeleddau'i gyd-Gymro,

'Gweda i un peth wrthoch chi. Pan fydda i'n ffurfio Cynulliad Beirdd y Gorllewin yma yn yr Amerig, ni fydd gwahoddiad i Ronw Ddu ymuno ag e!' Gwelodd yr olwg ar wyneb Grasi ac ymddiheurodd am newid y pwnc eto.

'Ma un peth bach 'da fi.' Oedodd, fel pe bai ar fin pesychu ond daeth ei wynt ato eto. 'Roedd pobol yn ôl yng Nghymru'n dishgwl iddo fe farw cyn hyn. Ma pawb yn gwpod bod ei iechyd e'n wael oherwydd y bywyd afratlon mae'n ei fyw.'

'Mae'n syndod i rai ohonon ni yma hefyd. Eto, mae nifer o wahanol foddion wedi dod i'r amlwg yn ddiweddar.' Eglurodd wedyn sut oedd meddygon o Ewrop ac Asia wedi bod yn dysgu am feddyginiaethau a ddefnyddid gan wahanol genhedloedd brodorol yn America. 'Mae'n bosib iawn bod Goronwy Owen wedi cael hyd i rywbeth felly sydd wedi helpu i'w gadw ar dir y byw.'

'Da y ceidw'r diawl ei was!' Dechreuodd Iolo Morganwg chwerthin ar garn ei glyfrwch ei hun, ond trodd y chwerthiniad yn bwl arall o besychu. Gwgodd wedyn a chodi llaw i gosi'i ben.

'Ma'n ddrwg 'da fi nad oes rhacor o hanes Gronw Ddu i'w rannu â chi. Dyna'r cyfan a wn. Os nad 'ych chi am drafod ei farddonieth.'

'Diolch yn fawr iawn i chi, yr un fath.' Safodd Grasi.

'Ma eisie cymorth arna i gyda chwplach o bethe.' Cododd Iolo o'i eisteddle ar y gwely a phlygu dros y gist. 'Ma llythyrau 'da fi. Un gan neb llai na'r enwog William Williams o Bantycelyn ar gyfer Synod y Methodistiaid Rhydd.' Roedd yn chwilota trwy bapurau ar waelod y gist erbyn hyn. 'Ac un wedi'i arwyddo gan nifer o Fedyddwyr amlwg Cymru.' Dechreuodd besychu'n ddrwg eto a bu'n rhaid iddo ollwng y papurau'n ôl yn y gist.

'Peidiwch â phoeni. Byddaf yn sicrhau bod rhywun yn galw arnoch chi'n fuan gyda chyfarwyddiadau. Ond rhaid i mi ffarwelio â chi ar hyn o bryd.'

Ymsythodd Iolo Morganwg. Cerddodd Grasi at y drws, Iolo Morganwng yn ei dilyn hi, ychydig yn sigledig ar ôl i'r peswch ysgwyd ei gorff i'r ffasiwn raddau.

'O's rhaid i chi fynd? Sa i weti ca'l cyfle i'ch holi am eich Cymrêg a'r holl ieithoedd eraill 'ych chi'n eu siarad.'

'Mae'n ddrwg gen i, ond rhaid i sgwrs o'r fath ddisgwyl am amser arall.'

'Piti. Ond wi'n deall. Tan y tro nesa, felly.'

'Tan y tro nesaf,' gwenodd Grasi, 'gan obeithio y bydd yr amgylchiadau'n caniatáu sgwrs fwy hamddenol.' Camodd hi'n ofalus dros y domen o ddillad a llyfrau, ond trodd cyn agor y drws.

'Gwelaf fod eich asthma'n dipyn o boendod i chi.'

'Oti, oti,' ysgydwodd ei ben. 'Ma'r hen focfa 'ma weti mynd yn wa'th yn ddiweddar.'

'Gallaf eich cyfeirio at feddyg yn y ddinas a fydd yn eich helpu.'

'Yfe?'

'Ie. Mae meddyginiaeth frodorol sy'n lleihau effeithiau asthma. Mae George Whitefield wedi manteisio arni hi yn ddiweddar, hyd yn oed.'

'Gweta i eto.' Gwenodd y Cymro ifanc yn llydan, ei wefusau main yn agor i ddangos dannedd bylchog. 'Da y ceidw'r diawl ei was!'

'Ond o ddifrif. Mae'n debyg iawn y bydd y feddyginiaeth yn gwneud lles i chi.'

'Wel, os yw'n ddicon da i'r hen gythrel yna, ma'n ddicon da i Iolo Morganwg hefyd.'

*

Wrth i Grasi osod ei throed ar y llwybr y tu allan, ac arwydd Tafarn yr Ardd yn gwichian yn y gwynt uwch ei phen, daeth geiriau'r Cymro yn ôl iddi. 'Os yw'ch gafel ar bob iaith gystal â'ch Cymrêg... rhaid eich bod chi ymysg ysgolheicion penna'r Amerig.' Cofiai pan oedd hi'n ferch ifanc ym Methesda, tua deg oed, ei bod hi'n treulio'r munudau rhwng diwedd gwers gwnïo a dechrau gwers addysg grefyddol y genethod yn clustfeinio y tu allan i ystafell ddosbarth arall. Roedd y bechgyn iau'n dechrau dysgu Lladin. Disgwylid iddynt fynd yn grefftwyr ar ôl gadael y cartref, ond roedd Mister Whitefield wedi mynnu bod yr athrawon yn darparu'r bechgyn â sylfeini addysg academaidd da hefyd, rhag ofn bod un ohonynt yn dangos digon o allu ac awydd i ddilyn gyrfa mewn eglwys neu swyddfa. Roedd yr athro'n siarad yn uchel ac yn seibio ar ôl pob gair, i'r holl ddosbarth gael ei ailadrodd, yn mynd trwy rediad y gair Lladin am y nefoedd. *Caelum*, meddai'r athro. *Caelum*, bloeddiodd y bechgyn. *Caeli*, meddai'r athro. *Caeli*, atebodd y bechgyn. Ac ymlaen felly, *caelo, caelum, caelo, caela, caelorum, caelis*. Symudodd Grasi ei cheg yn dawel, yn ailadrodd y geiriau gyda'r bechgyn ond heb wneud sŵn.

'*Come now!*' Rhywun yn tynnu'n galed ar ei llaw. Edrychodd a dyna lle oedd ei ffrind gorau, Agnes. 'Tyrd, Grasi! Tyrd, neu mi fyddwn ni'n hwyr i'n gwers.' Edrychodd Agnes arni dros ei hysgwydd wrth iddi ei llusgo i lawr y córidor, ei llais yn gymysgedd o gerydd ac edmygedd. 'Wn i ddim pam rwyt ti'n mynnu gwrando ar wersi'r hogiau o hyd!' Ac wedyn, pan oedd Mister Benet yn trafod Gweddi'r Arglwydd yn eu gwers addysg grefyddol, sylwodd fod Grasi'n siarad wrthi'i hun wrth iddo fynd trwy ystyr ac arwyddocâd y geiriau Saesneg.

'*Grasi! Come here! Front of class!*' Brysiodd hi'n ufudd at yr athro. 'Nawr 'te, ferch, beth wyt ti'n ei wneud?'

'Ymarfer y geiriau, syr,' atebodd y ferch fach yn wylaidd, ei llygaid ar y llawr.

'Pa eiriau, Grasi? Doedd dy geg ddim yn symud gyda geiriau'r weddi.'

'Oedd, syr.' Siaradodd yn dawel, a chydiodd yr athro yn ei hysgwydd â'i law a'i hysgwyd ychydig.

'Siarada'n uwch, ferch! Fedra i ddim dy glywed. Beth ddywedaist ti?'

'Oedd, syr. Roedd fy ngheg yn symud gyda'r geiriau.'

'Pa eiriau'n union, Grasi?'

'Geiriau'r weddi, syr.'

'Paid â bod yn haerllug! Gallwn weld dy fod yn dweud rhywbeth arall. Yn ceisio sibrwd i'r ffrind yn dy ymyl, efallai? Neu, yn waeth byth, yn parablu ymlaen yn dy iaith farbaraidd di, yn arfer rhyw weddi baganaidd ac yn gwneud hwyl am ben Gweddi'r Arglwydd ac yn gwatwar yr Arglwydd ei hun.'

'*I know, sir!*' Roedd Agnes yn ei dagrau a'r llaw yr oedd wedi'i chodi yn uchel uwch ei phen yn crynu.

'Agnes? Felly, sibrwd rhywbeth i ti oedd hi. Cyfrinach o ryw fath, mae'n siŵr?'

'Nage, syr. Doedd hi ddim yn sibrwd i mi. Mae hi'n dweud y gwir.'

'Y gwir? Sut felly?'

'Dweud geiriau'r weddi oedd hi.'

'Rwyt ti'n rhyfygu hefyd, ferch!'

'Wir, syr. Dweud geiriau Gweddi'r Arglwydd yn Lladin oedd hi.'

'Beth?' Edrychodd yr athro ar Grasi eto. 'Ydi hynny'n wir, Grasi?'

'Ydi, Mister Benet.'

'Felly, cablu oeddet ti, yn siarad rwtsh-ratsh yn hytrach na dweud geiriau Gweddi'r Arglwydd.'

'Nage, syr. Dweud y weddi yn Lladin oeddwn i.'

'Os felly, dangos di i mi yr eiliad yma.'

'O'r gorau, syr.' Cliriodd Grasi ei gwddwf, a chododd ei phen, yn dal llygaid yr athro. *'Pater noster, qui es in caelis, sanctificetur nomen tuum. Adveniat regnum tuum. Fiat voluntas tua, sicut in caelo et in terra.'*

Roedd y stori'n dew ar hyd y lle ar ôl hynny, wrth gwrs, a'r tro nesaf yr ymwelodd y Parchedig Whitefield â Bethesda, galwyd Grasi i'w weld yn y swyddfa fach a oedd yn ystafell wely iddo hefyd. Safodd hi o'i flaen, yn adrodd y weddi Ladin iddo. Cododd law a gwthio bys o dan ei chwig er mwyn cosi'i ben, ei ddull o syllu arni yn gwneud iddi deimlo ychydig yn nerfus y tro hwn. Holodd a allai hi ddweud pethau eraill yn yr iaith. Amneidiodd Grasi, a dechreuodd siarad ag o yn Lladin. Daeth pwl cas o besychu drosto a bu bron iawn iddo lewygu. Aeth i eistedd yn y gadair y tu ôl i'w ddesg, ond am eiliad roedd Grasi yn meddwl ei fod am gymryd cam arall a syrthio ar y gwely y tu ôl i'r gadair. Roedd glasiad o ddŵr ar y ddesg ac ar ôl cael ei wynt ato, cymerodd lymaid. Syllodd yn hir arni, ei wyneb yn goch o dan y chwig gwyn. Ac wedyn gafaelodd yn ymyl y ddesg â'i ddwylo, fel pe bai'n ceisio'i sadio'i hun ar gyfer yr hyn a ddeuai.

'How do you come by this knowledge, girl?'

Cyffesodd Grasi fod clustfeinio y tu allan i wersi Lladin y bechgyn yn rhywbeth yr oedd hi'n mwynhau'i wneud. Ychwanegodd ei bod wedi cipddarllen yr ychydig lyfrau Lladin a oedd yn llyfrgell fach Bethesda. Dywedodd y Parchedig Whitefield wedyn fod ganddi hi well gafael ar yr iaith na'r rhan fwyaf o weinidogion yr eglwys a'i bod yn amhosib ei bod wedi'i dysgu yn y modd a ddisgrifiodd. Agorodd Grasi ei cheg er mwyn protestio, ond cododd y gweinidog law er mwyn ei thawelu.

'*Don't worry, girl. It's all right. I believe you.*' Pesychodd ychydig eto. '*Yet it is truly wondrous.*' Oedodd, ei lygaid taer yn ei hastudio ar hyd ei anelfa o drwyn. '*There is no scholar in all of the American colleges, not in William and Mary, Harvard, Yale, Princeton or the Philadelphia Academy who has such fluid Latin.*'

Gofynnodd iddi eistedd am y ddesg ag o, gan erfyn arni i estyn clustogau o'r fainc ar hyd y wal er mwyn sicrhau'i bod hi'n eistedd yn ddigon uchel i'w weld uwchben y llyfrau ar ei ddesg. Holodd hi eto am y modd yr oedd hi wedi dysgu'r iaith, ac ailadroddodd Grasi yr holl hanes, gan fynnu'i bod hi'n dweud y gwir. '*I do believe you, girl,*' dywedodd, ei lais yn garedig a rhyw olwg freuddwydiol bell yn ei lygaid. 'Ond er fy mod i'n *dy gredu di*, fedra i ddim *credu* bod hyn yn bosib.' Ffocysodd ei lygaid wedyn, yn craffu arni, fel pe bai'n ceisio gweld rhyw gyfrinach y tu mewn i'w phen hi. Caeodd ei lygaid wedyn, a symudodd ei wefusau heb siarad. Casglodd Grasi ei fod yn gweddïo'n dawel am oleuni. Eisteddodd y ferch yn ddisgwylgar. Roedd hi wedi dod i ddeall yn ystod y blynyddoedd ei bod hi'n wahanol i'r plant eraill ond ceisiai osgoi tynnu sylw ati'i hun ac roedd brolio'i gallu yn wrthun o beth iddi. Ond erbyn hyn, gan fod pawb arall ym Methesda yn ei drafod, roedd hi'n awyddus i glywed barn y dyn pwysig hwn am yr hyn a oedd yn ei gwneud hi mor wahanol. Agorodd y Parchedig Whitefield ei lygaid eto, a siaradodd yn dawel, fel pe bai arno ofn deffro rhywun a oedd yn cysgu yn y gwely y tu ôl iddo.

'*I asked how you came by this knowledge, Grasi.*' Seibiodd, yn gweithio'i geg ychydig heb siarad. *'What I should have asked is this: how did you come by this gift, Grasi?'*

Dywedodd nad oedd hi'n gallu egluro'i dawn. 'Fel hyn ydw i,' ychwanegodd, yn teimlo'r gwaed yn codi yn ei bochau. 'Mae'n ddrwg gen i, ond fedra i ddim ei egluro.'

'Paid â phoeni, Grasi,' meddai, yn pwyso'n ôl yn ei gadair. 'Mae'n bosib na ddylem ni gwestiynu pethau felly. Ond, yn wir i ti, gallet ti fod yn un o'r angylion.'

Llenwai'r atgofion hyn ei phen wrth iddi gerdded o'r Strand i lawr Stryd Abercorn ac ar draws Sgwâr y Dirwyndy. Ceryddai hi'i hun yn gyson am hel meddyliau. Ceisiodd ei gorfodi'i hun i ganolbwyntio'n well ar ei hamgylchiadau er mwyn sicrhau na fyddai'n methu manylyn o bwys pe bai hi'n digwydd bod yn cerdded heibio i rywun o ddiddordeb. Ond er ei bod hi'n gallu meistroli'i theimladau a rheoli'i meddwl yn llwyr y rhan fwyaf o'r amser, ar adegau roedd pwysau'r gorffennol yn drech na hi. Ac felly pan groesodd Stryd y Tywysog er mwyn cerdded ar draws Sgwâr Oglethorpe, aeth ei meddwl yn ôl at yr eiliadau hynny y bore hwnnw pan welsai Agnes yno. Cerddasai heibio iddi ar y llwybr. Roedd yn agos at fis ers iddi alw i weld ei ffrind – hynny yw, siarad â hi, nid cerdded heibio ar y stryd neu ar ganol un o sgwariau'r ddinas pan oedd hi'n teithio mewn rhith o ryw fath.

'Dyna lle wyt ti!'

Er i'w chalon neidio i'w gwddwf, ni adawodd i'w syndod ei bradychu. Canolbwyntia ar yr eiliad hon, meddai wrthi'i hun. Yma yr wyf, ar fin gadael y sgwâr a chroesi Stryd Efrog; rwyf yn was prysur ar drywydd neges fy meistr. Ymsythodd y gwas ifanc a chodi llaw at ei het er mwyn cydnabod y ddynes ifanc mewn ffrog a het foethus a oedd wrthi'n croesi Stryd Efrog er mwyn siarad ag o. Arhosodd yno o dan ganghennau mwsoglyd un o'r coed derw ar gyrion y sgwâr, yn disgwyl yn gwrtais.

'Dyna lle wyt ti,' dywedodd y wraig ifanc eto, yn siarad yn uchel wrth iddi gamu i fyny o'r stryd i'r gwair o dan y canghennau. 'Dywed fy ngŵr ei fod am i ti fynd i ôl ei geffyl o'r stabl. Mae am fynd am dro yn y wlad.' Ac wedyn, ar ôl dod yn ddigon agos ac ar ôl edrych o gwmpas er mwyn sicrhau nad oedd neb yn eu hymyl, newidiodd ei llais.

'Gwranda,' dywedodd Ana wrth Grasi, 'mae gen i lawer o hanes. Daliodd Capten Mawgan Roger Ash y bore yma cyn y wawr. Ac mae Eachann wedi bod yn siarad ag o. Cyfaddefodd Ash ac felly mae wedi cadarnhau stori'r ysbïwr John Turner. Mae Ash wedi bod yn mynd â'r papurau a gopïwyd gan Turner dros yr afon i Dde Carolina. Pysgotwr o'r enw Symonds sydd wedi bod yn eu derbyn. Ond dydi o ddim yn gwybod i bwy mae Symonds yn ateb. Mae Ash yn ddyn eithaf cwrs heb lawer o gyfrwystra yn ei gylch. Roedd yn gwneud y gwaith am arian, nid am unrhyw reswm.'

'A'r lladron dynion?'

'Mae'n taeru nad yw'n gwybod dim byd am hynny.'

'A gweddill ei deulu?'

'Roedd yn gweithio ar ei ben ei hun. Am yr arian. Dywed y byddai gan weddill ei deulu gywilydd ohono. Dywedodd fod dyn o Dde Carolina yn ei dalu. Dydi o ddim yn gwybod ei enw, ond mae wedi'i ddisgrifio.'

'Ac mae'r Cyngor yn ei gredu?'

'Ydi. Roedd Eachann wedi cael sgwrs ddigon difrifol ag o. Mae'n ddyn llwfr yn y bôn, yn gwneud y gwaith am arian. Dydi o ddim y math o ddyn sy'n aberthu'i fywyd dros achos nad oes ganddo lawer o ddiddordeb ynddo.' Edrychodd Ana o'i chwmpas eto. 'A dyna'r cyfan sydd gen i.'

'Mae gen i un peth,' dywedodd Grasi. 'Rhywbeth y dylwn i fod wedi'i godi ers tipyn, ond mae cymaint o bethau eraill wedi bod ar fy meddwl.' Disgrifiodd y goets fawr gain yr oedd wedi'i gweld ar strydoedd Safana ddwywaith yn ystod yr wythnosau diwethaf, un nad oedd hi wedi'i gweld yn y ddinas cyn hynny. Ysgydwodd Ana ei phen.

'Fedra i ddim cofio gweld cerbyd o'r fath. Ond mi wna'i holi.

'Diolch.' Siaradodd Grasi eto yn llais y gwas. 'O'r gorau, feistres. Diolch.'

Cododd y dyn ifanc ei law at ei het, yn ffarwelio â'r foneddiges, ond siaradodd Ana eto.

'Mae gen i neges arall. Mae'r Cadeirydd am i ti alw am frecwast yfory.'

8

Brecwast a Braw

'*TAPADH LEAT*.' GOSODODD Grasi y fforc ar ei phlat gwag wrth ddiolch am y brecwast. 'Roedd yn fwy o lawer na beth dwi'n ei fwyta fel arfer yn y bore, ond roedd yn hyfryd iawn.' Y hi ei hun ydoedd y bore yma, yn fenyw ifanc a oedd yn gweithio fel cyfieithydd i'r masnachwr Albanaidd cyfoethog.

'*Se do bheatha*.' Gwthiodd Fearchar MacGilleBhràth ei blat gwag yntau oddi wrtho. 'Croeso.' Pwysodd yn ôl yn ei gadair wrth ben y bwrdd, yn codi hances i sychu'i geg a'i farf goch a gwyn fer. Eisteddai Grasi ar ei law dde, yng nghadair arferol Senauki. Hongiai arogleuon y bwyd yn yr awyr o hyd – bara wedi'i grasu, menyn, caws a physgodyn wedi'i fygu a'i halltu – ond roedd aroglau cyfoethog y coffi yn gryfach o lawer. Gan fod y llenni wedi'u hagor, llifai heulwen y bore trwy'r ffenestri hirsgwar mawr ac roedd pren tywyll y bwrdd hir yn disgleirio. Chwifiodd yr hances o gwmpas, yn cyfeirio at y cadeiriau gwag. 'Mae'n braf dy weld di yma y tu allan i gyfarfodydd y Cyngor. Dylet ti alw am bryd o fwyd yn amlach.'

Symudodd Grasi ychydig yn ei chadair, yn mwynhau'r cyfle i ymlacio a chydeistedd fel cyfeillion ond eto'n teimlo na ddylai wastraffu amser felly. Bu'r ddau'n trafod materion o bwys yn ystod brecwast – y lladron dynion, yr hyn a ddysgwyd gan y pysgotwr Roger Ash, a hanes cyfarfod Grasi â'r newydd-ddyfodiad, Iolo Morganwg – ond rŵan yr oedd Fearchar MacGilleBhràth am ymlacio am ennyd a sawru'r cymdeithasu. Cododd Grasi ei gwydr ac yfed llymaid o ddŵr, yn golchi blas y pysgod hallt o'i cheg. Ceisiodd ymatal, yn gwybod y dylai ymgolli yn y pleserau syml hyn am ychydig, ond erbyn iddi osod ei gwydr yn ôl ar y bwrdd roedd wedi penderfynu troi'r sgwrs yn ôl at faterion pwysicach.

'Rhaid i mi gyfaddef: roeddwn i'n gobeithio y byddai gan Iolo Morganwg rywbeth arall i'w ddweud am Goronwy Owen. Ond yr unig wybodaeth newydd a ddysgais ganddo oedd ffyrdd newydd o ddifrïo rhywun yn Gymraeg.'

Gwenodd Fearchar MacGilleBhràth a thaflodd yr hances ar y bwrdd yn ymyl ei blat gwag. Cododd ei gwpan coffi at ei wefusau.

'Mae dy reddfau'n iawn fel arfer.' Edrychodd i mewn i'w gwpan, yn gwgu. 'Ac os wyt ti'n teimlo bod mwy i ddysgu, dwi'n ymddiried yn dy reddf.' Gosododd ei gwpan i lawr a chodi'r potyn i'w ail-lenwi. Llestr hynod gain oedd y potyn coffi, gyda thonnau'r môr wedi'u paentio mewn gwahanol fathau o las o'i hamgylch a'i ddolen oren ar ffurf morfarch.

'Gyda golwg ar y drafodaeth yn y Cyngor y tro diwethaf,' cododd Grasi law a chyfeirio at y gadair wag wrth ben arall y bwrdd, 'hynny yw, y tro diwethaf i mi ymuno â chi,' gosododd ei llaw ar ei gwydr dŵr eto, 'nid wyf wedi newid fy marn.' Cododd Fearchar MacGilleBhràth ei gwpan coffi yn araf at ei geg, ei lygaid arni wrthi iddi ymhelaethu. 'Yn debyg i chithau, teimlaf mai'r peth mwyaf arwyddocaol am y Cymro Goronwy Owen ar hyn o bryd yw'r ffaith bod Eglwyswr a oedd yn enwog am ei gasineb tuag at Fethodistiaid wedi'i groesawu gan Synod Methodistaidd America yng nghartref George Whitefield.'

'Ond?' Rhoddodd ei gwpan ar y bwrdd eto. Gwenodd pan welodd nad oedd Grasi am ddweud dim byd arall. 'Ond mae dy reddfau'n dweud bod mwy i'w ddysgu am y Cymro *Gronubh Dubh*.' Ynganodd ei fersiwn Gaeleg o'r enw mewn modd a oedd yn ei hatgoffa o gyfeiriadau sarhaus Iolo at Ronw Ddu. 'Beth bynnag.' Pwysodd Fearchar MacGilleBhràth yn ôl yn ei gadair eto, ei lygaid ar y cleddyf mawr a'r arfau eraill yn hongian uwchben y lle tân. 'Mae'n gelynion yn mynd yn gyfeillion â'i gilydd, ac mae hynny'n golygu bod ein gelynion yn cryfhau.' Siaradodd yn araf, ei lygaid ar yr arfau o hyd. 'Aeth y cyfarfod yn hir neithiwr. Mae'r ffaith nad oes gair wedi dod gan Amos Hawkins yn poeni rhai. Mae Mordecai'n sicr bod rhywbeth wedi digwydd i'r *Seraphim Rose*. Mae'n rhyfedd nad oes neb yn y Gwasanaeth wedi sylwi ar y *Buckingham* chwaith, a hithau'n llong ryfel fawr ar ei hymweliad cyntaf ag America. Byddai'r gair yn mynd o borthladd i borthladd yn gyflym. Ond mae wedi diflannu.'

'Rhaid bod y *Buckingham* wrthi'n hwylio'n bellach o'r arfordir am ryw reswm a'r *Rose* yn ei dilyn.'

'Rhaid.' Symudodd Fearchar MacGilleBhràth ei lygaid yn araf, fel pe bai'n gyndyn o'u cymryd oddi ar yr arfau uwchben y lle tân mawr. Edrychodd arni. 'Dwi ddim yn poeni am Amos. Dim eto. Ond mae rhywbeth rhyfedd yn digwydd. Pe bai'r *Buckingham* wedi'i throi hi am Loegr eto, byddai Amos wedi dychwelyd i Safana.'

'Byddai. Ond pam fyddai llong ryfel yn hwylio ar hyd yr arfodir, heb ddod i'r lan i fwrw angor?'

'Wn i ddim.' Cydiodd ym mreichiau'r gadair â'i ddwylo, fel dyn yn chwilio am sadrwydd. 'Mae un peth sy'n fy mhoeni'n fwy ar hyn o bryd, Grasi. Dydi'r wybodaeth sy'n dod o'r trefedigaethau eraill ddim yn galonogol.'

'Ym mha ffordd?'

'Ofn. Dyna ydi o. Mae'n cyfeillion ni yn y gogledd wedi'u llethu gan ofn.'

Trodd yn ei gadair er mwyn syllu i fyw ei llygaid. 'Nid oes neb am fynd i ryfel â Lloegr, ac mae fel pe bai ofn rhyfel o'r fath yn eu cadw rhag paratoi ar gyfer y rhyfel sy'n sicr o ddod.'

'Beth am Vermont?'

'Dwi'n siŵr ein bod ni'n gallu dibynnu ar y Weriniaeth Rydd.

'A Chonffederasiwn y Wabanki.'

'Ie. Ond os nad yw'r holl drefedigaethau rhydd a'r rhai sydd ar fin troi'n rhydd yn gadarn yn yr achos...' Plethodd ei ddwylo a'u gosod ar ei lin. 'Dwi'n gor-ddweud ychydig, efallai. Mae Hampshire Newydd, Massachusetts, Connecticut a Rhode Island yn gwbl gadarn yn yr achos. Does dim llawer o reswm i boeni am ymlyniad Jersey Newydd a Delaware chwaith. Ond mae dylanwad rhai masnachwyr yn Efrog Newydd yn bryder cynyddol.'

'Ac mae Pensylfania yn bryder.'

'Ydi. Mae'r wybodaeth ddiweddaraf yn awgrymu bod rhyw draean o aelodau Deddfwrfa Pensylfania o blaid cadw'r diriogaeth yn ffyddlon i Goron Loegr, doed a ddelo. Ac mae rhai o henaduriaid Philadelphia'n rhy gyfeillgar â llywodraethau'r trefedigaethau caeth. Mae'r Crynwyr wedi dechrau colli'u dylanwad. Ac mae –'

Agorwyd y drws gyda chlec, ac yno'n llenwi'r ffrâm oedd Eachann Mòr, ei fochau'n goch uwchben ei farf ddu drwchus, ei ben moel yn sgleinio yn yr heulwen a lifai trwy'r ffenestri mawr. Heb ymddiheuro am dorri ar eu traws, cyfarthodd un gair Gaeleg. *'Teachdaireachd!'* Neges. Roedd gan y dyn mawr damaid o bapur yn ei law.

Cerddodd draw at Fearchar MacGilleBhràth a'i osod ar y bwrdd o'i flaen, gan egluro. 'Martin sydd wedi'i gyrru hi.' Trodd a gadael, yn cau'r drws ar ei ôl. Cododd Grasi o'i chadair er mwyn gweld y papur yn well.

```
4+*6DQP\+53*A
§~Z \1WL\~[+
E§5*AQ ~*E0E*+RA§L/E
1+\3H§A§32JQ#§+*/\2*
C*+3[E*F2\3*KL\A2E§9~*2RL\37~6L6E
```

Rhoddodd Fearchar un llaw ar y papur er mwyn dilyn yr arwyddion â'i fys. Ceisiodd ddarllen y cod, yn mwmblian dan ei wynt.

'Rhywbeth am weithwyr, dynion o liw, ond –'

'Nage, edrychwch,' torrodd Grasi ar ei draws. 'Mae Martin wedi taflu cwpl o eiriau Almaeneg i mewn. Mae'n gwneud hynny weithiau.' Darllenodd y neges yn araf.

'*Drei workmen. All of colour. Taken letzter Nacht. From Anam's warehouse. Vermute some constables complicit.*' Ailadroddodd y neges yn gyflym gan gyfieithu'r Saesneg a'r Almaeneg i'r Aeleg. 'Tri gweithiwr wedi'u cipio neithiwr o stordy Anam. Pob un o liw. Rwy'n amau bod rhai cwnstabliaid ynghlwm.'

Tri o weithwyr y stordy, pob un yn ddyn cryf, yn cael eu cymryd heb lawer o sŵn a heb adael olion i awgrymu beth oedd wedi digwydd. Ceisiodd Grasi ddychmygu'r olygfa: tri neu bedwar o ymwelwyr yn ymddangos yn y stordy liw nos, dynion dieithr, efallai'n gwisgo clogynnau teithio hir er mwyn cuddio'u harfau. Un yn dweud yn ddidaro eu bod yn gweithio dros ryw gwmni masnach neu'i gilydd ac wedi dod i lenwi archeb funud olaf. Un o'r gweithwyr yn ateb ac yn dweud y dylen nhw ddisgwyl tan y bore ac ymholi yn y swyddfa. A dyma'r dynion dieithr yn codi'r pistolau llwythog a oedd wedi'u cuddio o dan eu clogynnau ac yn gorfodi'r gweithwyr i fynd gyda nhw yn dawel. Efallai. Ond er iddi geisio, ni allai Grasi weld y peth yn iawn.

'Mae mwy i'r stori hon,' dywedodd hi.

'Dyna'n union beth oeddwn i am ei ddweud,' ochneidiodd Fearchar MacGilleBhràth, yn sefyll, y tamaid o bapur yn ei law. Aeth draw at y lle tân.

'A i'n syth i'r Strand i archwilio,' cynigiodd Grasi, 'ar ôl mynd adref i newid.'

'Aros di, Grasi.' Roedd wedi codi blwch tân bach oddi ar un o'r silffoedd. Fe'i hagorodd a dechrau cynnau'r papur. 'Bydd Martin yn archwilio'r Strand o hyd. Mi wna i yrru neges at rai o'r lleill a gofyn iddyn nhw ei helpu.' Dechreuodd y tân larpio'r papur. 'Rhaid i ni geisio canfod beth sy'n digwydd yn Neuadd y Ddinas hefyd.' Symudodd y fflamau'n nes at ei fysedd. Ni fu'n rhaid iddo ddweud mwy. Neuadd y Ddinas oedd pencadlys Dirprwywyr Georgia, y llywodraeth a reolai'r diriogaeth yn enw'r Ymddiriedolwyr yn Llundain, ac yno hefyd roedd swyddfeydd y cwnstabliaid a gadwai heddwch yn eu henw nhw. 'Fel y dywedais wrthyt ti pan ymunaist â chyfarfod y Cyngor y tro diwethaf' – taflodd y tamaid olaf o'r papur i'r lle tân – 'mae'r bygythiad yn agosáu.'

'O'r gorau,' meddai. 'Mi wna i ganolbwyntio ar Neuadd y Ddinas.'

'Ond cym ofal,' meddai Fearchar MacGilleBhràth, yn troi o'r lle tân er mwyn ei hoelio â'i lygaid. 'Mae'n amhosib gwybod pa mor ddwfn yw gwreiddiau'r drwg.' Amneidiodd Grasi a cherdded at y drws, ond oedodd cyn ei agor.

'Fydd cerdded o gwmpas y cyntedd a'r coridorau ddim yn ddigon. Rhaid i mi gael mynediad i'r swyddfeydd.'

'Wyt ti eisiau torri i mewn gyda'r nos?' Roedd ei lygaid ar yr arfau uwchben y lle tân eto.

'Nac ydw. Y bobl sy'n bwysig, nid swyddfeydd gwag. Rhaid cael at y clercod a'r cwnstabliaid.'

'Wrth gwrs.' Cododd ei law er mwyn cyffwrdd â charn y cleddyf mawr, ei fysedd yn anwesu'r gawell fach fetel gain – amddiffynfa llaw'r cleddyfwr. 'Rwyt ti'n iawn, fel arfer. Y bobl sy'n bwysig.'

'Gwn i!' Trodd Fearchar MacGilleBhràth, yn ymateb i oslef buddugoliaethus ei llais. 'A fedrwch chi wneud rhywbeth ar frys i mi?' Siaradodd Grasi'n gyflym, y cyffro'n gwneud iddi swnio ychydig fel merch fach yn hytrach na'r fenyw ifanc hunanfeddiannol arferol. Gwenodd yr ucheldirwr.

'Medraf. Hynny yw, ceisiaf fy ngorau.'

'Hoffwn gael llythyr o gymeradwyaeth gan un neu ddau o'r Dirprwywyr yr ydych chi'n ymddiried fwyaf ynddyn nhw. Yn cymeradwyo dyn ifanc fel clerc.' Oedodd Grasi am rai eiliadau, yn meddwl. 'Dyn ifanc o'r enw... Argus Williams.'

'Medraf wneud hynny. Cyn diwedd y prynhawn heddiw.'

'Ac un peth arall. Hoffwn i siarad â'r ysbïwr John Turner.'

'Bydd hynny'n ddigon hawdd. Mae Turner yn y seleri.'

9

Seleri'r Stordy

Roedd cartref Grasi yn y gofod amwys rhwng ffin ddeheuol y ddinas a'r wlad. Ffermdy oedd yr adeilad yn wreiddiol, ond roedd caeau'r fferm wedi'u hen lyncu gan adeiladau o wahanol fathau – y stordai a'r gweithfeydd a dyfai rywsut rywsut ar gyrion Safana, yn wahanol iawn i batrwm rheolaidd strydoedd y ddinas. Ar wahân i'r ffermdy, perllan o flaen y drws oedd yr unig beth a awgrymai fod yr ardal hon yn wledig ar un adeg. Pan edrychai Grasi o ffenestr ei llofft gwelai resi o goed afalau, gydag ambell fwlch gan fod y coed yn hen ac yn dechrau marw. Pan na chodai cyn y wawr yn y gwanwyn, un o bleserau syml ei diwrnod oedd edrych allan yn y bore a gweld y blodau gwyn-binc yn arnofio ar y brigau deiliog. Ond canol mis Medi ydoedd, a'r afalau wedi'u medi a'u bwyta, rhai ohonynt ganddi hi'i hun. Ar lawr uchaf yr hen ffermdy yr oedd hi'n byw ac roedd y tair ystafell fach yn fwy na digon iddi. Roedd y llawr gwaelod wedi'i lenwi i'r ymylon â chistiau a chasgenni gweigion – gan wneud i'r tŷ ymddangos fel storfa ar gyfer sbarion y stordy mawr y drws nesaf. Ni ddeuai neb i'r tŷ, hyd yn oed gweithwyr y stordy, a dim ond ganddi hi oedd yr agoriadau, ond pe bai rhywun yn torri i mewn i'r ffermdy ni fyddai'n gallu canfod y grisiau a arweiniai i fyny at ystafelloedd Grasi gan fod y drws wedi'i guddio mewn wal a ymddangosai fel pentwr twt o gistiau. Agorai drws tu blaen y ffermdy ar y berllan ac roedd y drws cefn yn agor ar un o ystafelloedd cefn y stordy a oedd wedi'i adeiladu flynyddoedd ar ôl i'r ffermdy gael ei godi.

Yn dibynnu ar y rhith a ddefnyddiai'r diwrnod hwnnw, byddai hi'n defnyddio'r naill ddrws neu'r llall, ond gan amlaf byddai'n dychwelyd adref trwy'r stordy mawr gan gyfarch y gweithwyr ac wedyn ymholi â'r rhai yn yr ystafelloedd ym mhen pellaf yr adeilad mawr cyn agor clo'r drws yn y wal gefn a mynd i mewn i'w thŷ. Un o stordai Lachlann MacGilleBhràth ydoedd, ac roedd dau fath o weithiwr yn llafurio yno.

Yn gyntaf, dyna'r gweithwyr a ofalai am y nwyddau – y bwydydd sychion mewn cistiau a'r diodydd mewn casgenni a gedwid yn y warws – a'u symud i'r Strand er mwyn eu llwytho ar longau. Roedd Lachlann MacGilleBhràth yn berchen ar warws arall ar y Strand, un drws nesaf i Stordy Dùghall Anam, ar gyfer mathau eraill o nwyddau. Un arall o fasnachwyr Albanaidd Georgia oedd Anam, ac fel nifer o Ucheldirwyr eraill roedd wedi ymsefydlu ym mhentref Darien ar yr arfordir i'r de o Safana. Roedd busnes Dùghall Anam yn rhychwantu'r ddau le yna, ond roedd holl ganolfannau masnach Fearchar MacGilleBhràth ar lannau'r afon Safana, gan fod y rhan fwyaf o'i fusnes yn ymwneud â ffeirio â gwahanol bentrefi'r Mvskoke.

Nid oedd trigolion cyffredin y ddinas yn gwybod am fodolaeth Cyngor Safana heb sôn am y ffaith mai Fearchar MacGilleBhràth oedd Cadeirydd y cyngor cudd hwnnw; masnachwr cyfoethog ond haelfrydig ydoedd i'r rhan fwyaf ohonynt. Gwyddai pawb ei fod ymysg y rhai a oedd wedi ymfudo o ucheldiroedd ac ynysoedd yr Alban yn ystod blynyddoedd cynnar tiriogaeth Georgia. Roedd y dwsin o ddynion a lafuriai yn y stordy mawr yn ymyl cartref Grasi ymysg y gweithwyr lawer a gyflogid gan y cwmni yr oedd pobl yn nhrefedigaeth Georgia a'r tu hwnt yn ei adnabod fel *MacGillivray Trading.*

Dynion a benywod Gwasanaeth Cyngor Safana oedd yr ail fath o weithiwr a lafuriai yn yr adeilad mawr hwnnw, ond yr ystafelloedd cefn a'r seleri o dan y stordy oedd eu gweithleoedd nhw. Roedd gweithwyr y stordy'n gwybod yn iawn amdanynt, gan fod Fearchar MacGilleBhràth yn cyflogi pobl y gallai ymddiried yn llwyr ynddynt, gan gynnwys y rhai a oedd yn helpu i gynnal wyneb cyhoeddus cyffredin yr Albanwr. Cyfeiriai'r ucheldirwyr yn eu plith at gartref Grasi fel *Taigh an Taigh-bathair* – 'Tŷ'r Stordy' – ond hoffai Grasi feddwl amdano fel 'Y Ffermdy' gan fod naws bywyd amaethyddol yn gysur iddi ar ôl taith hir neu ddiwrnod o droedio yng nghanol peryglon. Yn ogystal â'r hen goed afalau y tu allan i ffenestr ei llofft, roedd rhywbeth gwledig a chartrefol yn saernïaeth y waliau a thoriad y distiau. Rhyddhad a deimlai fel arfer pan oedd hi ar ei ffordd adref, ac felly bu'n rhaid iddi ei hatgoffa'i hun y tro hwn, wrth iddi gerdded i'r de ar hyd Stryd y Tarw, nad mynd adref oedd hi.

Daeth y palmant i ben ar ôl tŷ olaf y stryd a chamodd Grasi i lawr i lwch y lôn amrwd a blygai trwy'r adeiladau a godwyd blith-draphlith ar gyrion y ddinas.

Efail Samuel y Gof oedd y cyntaf ohonynt. Aeth ymlaen wedyn heibio i nifer o stablau bychain a gweithdy lledr y teulu Rolff. Daeth at groesffordd, y lôn bridd amrwd arall yn mynd i'r gorllewin ac yn plygu heibio i'r gweithfeydd haearn ac wedyn Stabl Broton ac ymlaen i'r gogledd a stordai'r Strand. Ar y chwith safai Distyllty Zadoc, yr aroglau chwerw-felys yn llenwi'r awyr yn yr ardal. Ac yno ar draws y groesffordd flêr honno, gyferbyn â'r ddistyllfa rym, oedd y stordy mawr.

Roedd wagen yn cludo golosg newydd fynd o'r groesffordd i'r buarth bach o flaen y distyllty. Sylwodd Grasi fod wagen wag yn disgwyl hanner ffordd rhwng y groesffordd a'r ffwrnais haearn fach, y gyrrwr wedi dod i lawr o'i sêt er mwyn dal ffrwynau'r ddau geffyl. Rhaid bod y ddwy wagen wedi dod i'r ddinas gyda'i gilydd o wersyllfa'r golosgwyr, gydag un llwyth ar gyfer y distyllty a llwyth arall ar gyfer y ffwrnais.

*

Cofiodd Grasi sgwrs â Senauki, pan oedd hi newydd adael cartref Bethesda ac wedi mynd i fyw gyda pherthnasau'i mam ym mhentref y Mvskoke, cyn ymuno â'r Gwasanaeth.

'*Yvkvpetv Cvyacetos.*' Roedd pobl yn poeni amdani gan ei bod hi wedi diflannu am ychydig, ac felly daeth yr hynafwraig i'w holi. Ymddiheurodd Grasi a dweud nad oedd hi am i bobl boeni.

'Roeddwn i wedi mynd am dro yn y wlad,' eglurodd. 'Rwy'n hoffi cerdded.'

'Gwela i,' meddai Senauki. 'Felly tyrd am dro bach ar hyd glan yr afon gyda fi rŵan.' Ar ôl iddyn nhw adael y pentref a cherdded heibio'r dynion a oedd yn pysgota gyda gwaywffyn yn y dŵr bas yn ymyl y lan, dechreuodd yr hynafwraig siarad eto.

'Peth da yw cerdded ac ymgynefino â'r wlad, ond mae'n beryglus.'

'Ond dwi'n ofalus iawn. Ac mae'n rhoi cymaint o bleser i mi.' Eglurodd Grasi ei bod hi'n hoff iawn o gerdded gan nad oedd hi wedi cael gadael Bethesda ar ei phen ei hun gydol ei phlentyndod. Roedd y lle'n warchodol, ond roedd bywyd yn y cartref yn gyfyngedig hefyd. Cydiodd Senauki yn ei braich a'i gwasgu'n syfrdanol o galed. Edrychodd arni'n daer. 'Mae'n beryglus i ti yn enwedig, Grasi. Wyt ti'n deall? Gan dy fod yn ddu.'

'Ond Mvskoke ydw i hefyd,' protestiodd.

'Ie, ie, rwyt ti'n un ohonon ni. Nid dyna dwi'n ei ddweud. Gwranda.' Gwasgodd ei braich eto. 'Rwyt ti o dras Affricanaidd ar ben hynny. Dylet ti fod yn falch o'r ffaith honno. Roedd dy dad yn ddyn i fod yn falch iawn ohono. Mae'n dda bod ei dras i'w weld yn glir yn dy wyneb. Ond cofia fod pobl eraill yn gallu dy weld fel merch ddu hefyd. Petai lladron dynion yn dy gipio di, gallent dy werthu yn gaethferch yn Ne Carolina, neu yng Ngogledd Carolina, neu yn rhywle arall yn bell i ffwrdd yn y gogledd.'

'Roeddwn i'n meddwl mai chwedl i ddychryn plant oedd y lladron dynion.'

'Nid yw'n chwedl, Grasi.' Dywedodd hi wedyn fod helwyr y Mvskoke wedi dod ar draws lladron dynion yn y gorffennol ac wedi llwyddo i ryddhau'r bobl a oedd wedi'u cipio ganddynt. Syllodd yr hynafwraig i fyw llygaid Grasi ac adrodd un hanesyn.

'Yn wir, y tro diwethaf oedd rhyw fis cyn i ti ddod i fyw gyda ni. Roedd dau o ddynion y pentref – Hasse Ola a'i fab hynaf, Chitto – allan yn hela ac wedi cerdded yn bell i'r gogledd-orllewin. Symud trwy'r goedwig oedd y pedwar, yn weddol agos at lan yr afon, ac yn dod i gyfeiriad un o'r prif lwybrau. Nid yw'r afon yn rhy ddwfn yno, ac mae'r llwybr hwnnw'n arwain at ryd a chyfle i groesi'n hawdd i dir De Carolina. Clywodd y ddau heliwr sŵn – nifer o geffylau, eu carnau'n curo ar bridd y llwybr a'r anifeiliaid mawr yn tuchan. Roedd yn hawdd i'r ddau guddio yn y coed yn ymyl y llwybr, disgwyl a gwylio. A chyn hir, dyma nhw'n gweld tri cheffyl. Roedd dyn gwyn ar gefn yr anifail cyntaf ac un arall oedd yn dod yn olaf, a rhyngddyn nhw roedd dyn o dras Affricanaidd, ei ddwylo mewn cadwyni a rhaff o gwmpas ei ganol yn ei glymu i'r cyfrwy. Cododd Hasse Ola a'i fab gyda'u mwsgedau wedi'u hanelu at y dynion gwyn.

'Beth sy'n digwydd yma?' holodd Hasse Ola yn Saesneg.

'Dim byd i chi boeni amdano,' atebodd y dyn gwyn ar y ceffyl olaf, yn chwifio'i ddwylo yn yr awyr er mwyn ceisio dal llygaid Hasse Ola. Ond ceisiodd y llall dynnu pistol o wain ar ei gyfrwy ac felly saethodd Chitto o yn syth. Aeth llaw y dyn a fu'n siarad â nhw am ei arf yntau, ac felly taniodd Hasse Ola ei fwsged a lladd y dihiryn yn y fan a'r lle. Bu'n rhai munudau cyn i'r un a saethodd Chitto farw. Melltithiodd hwnnw'r ddau ddyn Mvskoke, yn dweud rhywbeth fel,

'Dim ond ceisio gwneud bywoliaeth oedden ni.'

'Mae hynny rhyngoch chi a'ch duw,' meddai Hasse Ola wrtho, a dyna'r peth olaf a glywodd y dyn hwnnw ar y ddaear hon. Dyn o'r enw Antrim Holland oedd yr un a gipiwyd ganddyn nhw. Roedd yn ffermio gyda'i wraig a'i blant ar ddarn o dir ychydig i'r de. Mae Hasse Ola a Chitto wedi bod yn ymweld â nhw bob hyn a hyn ers hynny. Mae'r ddau deulu wedi dod yn gyfeillion mawr.

'A dyna ni,' ochneidiodd Senauki, goslef ei llais yn debyg i'r modd y byddai'n gorffen un o'r straeon a adroddai wrth y plant pan fydden nhw'n eistedd o gwmpas y tân yng nghanol y pentref gyda'r nos. 'Dyna'r hanes. A dyna pam y mae pawb yn y pentref yn poeni pan fyddi di'n mynd am dro hir ar dy ben dy hun.'

Dechreuodd y ddwy gerdded eto, ac arhosodd y ddwy'n

dawel am dipyn, Grasi'n mwynhau braint cwmni'r hynafwraig. Pan siaradodd Senauki eto, roedd sirioldeb yn ei llais. 'Beth bynnag. Dywed i mi, beth a welaist ti?' Soniodd Grasi am yr anifeiliaid a welsai – ceirw, twrcwns gwyllt a phob math o adar eraill – ond dywedodd mai'r peth mwyaf diddorol am ei hanturiaeth oedd dod ar draws gwersyllfa'r golosgwyr.

'Est ti mor bell â hynny?' Roedd cymysgedd o edmygedd a braw yn llais Senauki. Disgrifiodd Grasi'r lôn amrwd yn arwain at y llannerch yn y goedwig, y tomenni o goed wedi'u torri a'r domen losg ryfedd – twmpath o bridd a mwg yn codi ohono.

'Mae'r coed yn llosgi'n araf o dan y pridd,' nododd Senauki.

'A pheth arall,' meddai Grasi. 'Roedd rhywbeth am y dynion a oedd yn gweithio yn y llannerch. Mae'n anodd egluro, ond roedd golwg anystywallt arnyn nhw.' Gwnaeth Senauki ryw sŵn dwfn yn ei gwddwf.

'Ie, wel, am beth mor syml, mae golosg yn beth rhyfeddol o gymhleth.' Adroddodd ychydig o hanes y degawdau diwethaf, y modd yr oedd ei gŵr hi, Tomochichi, wedi llunio cytundeb â'r Sais James Oglethorpe – cytundeb a oedd yn gadarn gan fod y ddau arweinydd yn coleddu llawer o'r un egwyddorion. 'Ond nid hawdd oedd byw gyda'r dynion gwyn, hyd yn oed yma yn y wlad sy'n cael ei galw'n Georgia gan y Saeson. Mae pethau sylfaenol am eu ffyrdd nhw o fyw sy'n gwrthdaro â'n ffyrdd ni. Ac mae golosg yn un ohonyn nhw.' Disgrifiodd ddulliau traddodiadol y Mvskoke a chenhedloedd brodorol eraill o drin y coedwigoedd. 'Peth i'w dorri yw coedwig i'r rhan fwyaf o'r dynion gwyn, hyd yn oed y gorau ohonyn nhw. Maen nhw'n torri coedwigoedd i greu ffermydd mawr. Maen nhw'n eu torri i wneud elw trwy werthu pren. Ac maen nhw'n eu torri i greu golosg ar gyfer eu haearn a gwahanol bethau eraill sy'n porthi'u bywydau gorlawn nhw. Roedd cryn wrthdaro rhwng y Mvskoke a'r golosgwyr yn y gorffennol, ac roedd y gwrthdaro hwnnw wedi bygwth yr heddwch a'r cytundeb a luniodd fy ngŵr â James Oglethorpe.'

Safodd Senauki a syllu dros y dŵr, ac er bod ei llygaid yn syllu ar dir De Carolina ar lan ogleddol yr afon, teimlai Grasi ei bod yn syllu'n hytrach ar y gorffennol.

'Bu'n rhaid i'm nai Toonahowi a nifer o'n harweinwyr eraill fynd yr holl ffordd dros y môr i Lundain er mwyn siarad â'r Ymddiriedolwyr,' meddai'n bwyllog, ond gwenodd cyn siarad eto. 'Byddaf yn adrodd hanes y fordaith honno wrth y plant yn ymyl y tân gyda'r nosau. Mae wedi mynd yn un o chwedlau anturiaethus ein pentref.' Difrifolodd eto. 'Daeth Toonahowi a'r lleill yn ôl gyda llythyr wedi'i arwyddo gan yr Ymddiriedolwyr yn gorchymyn Llywodraeth y Dirprwywyr i sefydlu cyfraith newydd. Ac felly dim ond darnau penodol o'r goedwig y mae'r golosgwyr yn cael eu torri a'u llosgi bellach. Nid yw'n holl bobl ni'n gwbl fodlon â'r drefn, ond mae'n cadw'r heddwch.'

'Ond beth am y dynion yna,' holodd Grasi'n araf, 'pam fod golwg mor anystywallt ar y golosgwyr?'

'Wel,' ochneidiodd hi, 'i ddechrau, maen nhw'n byw yn y goedwig, ac er bod cwpl o'n pobl ni yn eu mysg, dynion gwyn yw'r rhan fwyaf ohonyn nhw, ac mae dyn gwyn sy'n byw am yn hir yn y goedwig yn mynd i edrych ychydig fel anifail.' Chwarddodd Grasi, yn ymateb i oslef cellweirus llais Senauki.

'Os nad yw'n pobl ni'n hoffi beth mae'r golosgwyr yn ei wneud, pam bod rhai o'n pobl ni yn eu plith?'

'Rwyt ti'n ferch graff.' Ymchwyddodd Grasi, canmoliaeth yr hynafwraig yn gwneud iddi deimlo'n dalach, yn gryfach ac yn hŷn na'i hoed. 'Mae rhywbeth yn hanes y dynion gwyn sy'n creu golosg,' esboniodd wedyn, 'rhywbeth sydd wedi'u gyrru oddi wrth eu teuluoedd a'u cymdogion.' Ochneidiodd eto. 'Ac mae ambell un o ddynion ein pentref ni wedi ymddwyn yn amhriodol yn y gorffennol. Mae gennym ni ffyrdd o gosbi'n troseddwyr ni'n hunain a chymodi â nhw wedyn. Mae'r rhan fwyaf o'r Mvskoke sy'n tramgwyddo'n gallu gwneud yn iawn am eu camwedd a chael eu derbyn yn ôl i'r gymuned eto. Ond mae ambell un sy'n gwrthod cymodi, ac mae ambell un hefyd sy'n troseddu mewn modd sy'n golygu nad ydyn ni am ei dderbyn yn ôl. Mae un neu ddau o'r math yna o ddyn yn byw ac yn gweithio yn y wersyllfa honno, yr un y dest ti ar ei thraws.'

'*Towosat cvlvwe tan oket ces*,' meddai, goslef ei llais yn newid eto wrth iddi ddatgan ei bod hi'n dechrau bod eisiau bwyd. Cydiodd yn llaw Grasi. Trodd y ddwy a dechrau cerdded yn ôl at y pentref ar hyd glan yr afon.

*

Edrychodd Grasi i'r chwith eto: erbyn hyn, roedd un o weithwyr Distyllty Zadoc yn helpu'r gyrrwr i rofio golosg o'r wagen i ferfa. Gwthiai un arall o'r gweithwyr ferfa arall yn araf trwy ddrysau mawr agored yr adeilad; roedd yn orlawn, a syrthiodd ychydig o'r golosg o'r domen fach yn y ferfa wrth i'r dyn ei gwthio o'r golwg. Anadlodd Grasi yn ddwfn, ond ni allai synhwyro aroglau'r golosg gan fod y chwa chwerw-felys a ddeuai o'r distyllty rym mor gryf. Ond cofiodd yr aroglau hwnnw, cymysgedd o bridd a choed a mwg gyda rhywbeth na allai ei enwi a oedd yn rhoi min arno. Edrychodd Grasi i'r dde, ac yno o hyd roedd y gyrrwr arall, yn sefyll o flaen ei geffylau llonydd a'i wagen wag. Cerddodd Grasi ar draws y groesffordd ac aeth drwy'r adwy fawr ym mhen draw stordy Fearchar MacGilleBhràth.

'*Madainn mhath. Guten Morgen. Good morning.*' Gan fod Grasi'n adnabod pob un o weithwyr y warws, cyfarchodd bob un yn ei iaith gyntaf. Gan iddi adael ei thŷ cyn iddyn nhw gyrraedd eu gwaith, nid oedd wedi'u gweld eto y bore hwnnw. Aeth ymlaen trwy'r rhesi o gistiau a chasgenni at y drws yng nghefn y stordy a'i agor yn ddi-oed. Yno y tu ôl i'w ddesg oedd Regus Carter, dyn oedrannus o dras Affricanaidd, ei wallt trwchus yn hollol wyn a rhychau lu ar ei wyneb. Er iddo fynd yn rhy hen i wneud gwaith y Gwasanaeth 'yn y maes', fel y dywedid, roedd ei feddwl yn graff iawn o hyd a'i storfa o brofiad yn werthfawr. Fo oedd yn rhedeg y ganolfan gudd hon. Safai'r ddau ddyn arall yn yr ystafell pan agorodd y drws – Benjamin Behar, Iddew Seffardig ifanc, ac Ekon, ŵyr Regus Carter, ei wyneb hirsgwar hardd yn awgrymu sut oedd ei daid yn edrych pan oedd yn ddyn ifanc – ond eisteddodd y gwarchodwyr yn eu cadeiriau eto ar ôl adnabod Grasi. Roedd eu cadeiriau yn ymyl y wal bellaf, a'r ddau warchodwr felly'n wynebu'r drws a agorai ar y stordy. Roedd y ddesg ar y dde i Grasi ac roedd drws arall yn y wal ar y chwith iddi. Fel arall, roedd yr ystafell fach yn foel ac yn ddiaddurn.

'*Good morning to you,*' dywedodd Regus, caredigrwydd cyfarwydd yn ei lais soniarus. Er nad oedd hi'n gwybod y manylion, gwyddai Grasi fod ei thad wedi cydweithio â Regus Carter mewn rhyw ffordd neu'i gilydd yn ystod y blynyddoedd cyntaf ar ôl iddo ennill ei ryddid ac ymgartrefu yn Georgia.

'Bore da, Mister Carter,' atebodd hi, cyn gwenu ar Ekon a Benjamin. 'Ac i chithau hefyd.'

'Beth sy'n gyfrifol am bleser dy ymweliad?' Roedd fflach

yn llygaid bywiog yr hen ddyn, direidi tadol – neu deidol – yn cyflyru'r cwestiwn pwrpasol.

'Hoffwn weld y carcharor John Turner.'

'Wrth gwrs.' Trodd at y dynion ifainc. 'Pa un ohonoch chi sydd am fynd â hi i lawr?'

'*Will you go?*' gofynnodd Ekon i'w gyd-warchodwr. '*I can't stand that slimy rat and I'm afraid I'll do something I'd regret.*'

'O'r gorau,' atebodd Benjamin yn Saesneg. 'Byddai'n beth ofnadwy i ti gael dy ddiarddel o'r Gwasanaeth am ladd carcharor heb ganiatâd.' Gwenodd Ekon ar ei gyfaill heb sylwi bod ei daid yn gwgu arno yntau o'r tu ôl i'w ddesg. Cerddodd Benjmain a Grasi at y drws arall.

'*Dezmazalado de mi,*' meddai Benjamin wrth Grasi wrth iddo agor y drws, yn esgus ei fod yn cael cam. 'Druan ohona i!' Gwelai Grasi Mordecai a Perla Sheftall yn amlach nag Iddewon eraill; roedd y Sheftaliaid ymysg yr ychydig deuluoedd yn y ddinas a siaradai Iddew-Almaeneg ar yr aelwyd, ond roedd y rhan fwyaf o Iddewon Safana o dras Seffardig ac felly wedi'u magu'n siarad Ladino. 'Y fi sy'n gwneud y gwaith y mae pawb arall yn gwrthod ei wneud,' ychwanegodd Benjamin wrth iddyn nhw ddechrau mynd i lawr y grisiau, goslef hunandosturiol ffug yn ei lais. '*Bavajadas!*' dywedodd Grasi wrtho, yn mwynhau'i gellwair fel yr oedd hi hefyd yn mwynhau'r cyfle i ymarfer siarad yr iaith. 'Nonsens!'

Roedd Grasi'n gyfarwydd iawn â seleri'r Stordy, y labrinth o ystafelloedd a choridorau cerrig, gyda llusernau olew yn goleuo'r waliau. Roedd rhai o'r ystafelloedd hyn ar gyfer arfau, teclynnau gwyddonol, a phob math arall o offer angenrheidiol a allai fod o ddefnydd i'r Gwasanaeth. Agorodd Benjamin ddrws arall a chyfarch y gwarchodwr y tu mewn.

'Grasi sydd yma. Mae hi am weld Turner.' Amneidiodd

Grasi ar y dyn ifanc, un a oedd wedi'i dderbyn i'r Gwasanaeth yn ddiweddar. Bu'n rhaid iddi chwilota yn ei chof ychydig cyn cael hyd i'w enw: Owen Ambros. Er eu bod yn bell o'r grisiau erbyn hyn, nid oedd yr awyrgylch yn rhy fyglyd gan fod awyr iach yn dod trwy dyllau bychain yn y nenfwd. Gwarchod drws arall oedd swydd Owen, un metel a oedd dan glo. Ar ôl iddo ei agor, arweiniodd Benjamin Grasi ar hyd y córidor heibio rhes o gelloedd, drws o fariau haearn wedi'i gau ar draws adwy pob un. Roedd y pedair cell gyntaf yn wag, ond yno yn yr un nesaf oedd y pysgotwr Roger Ash. Cododd ei wyneb i'w gwylio wrth iddyn nhw gerdded heibio a chafodd Grasi gip ar y cleisiau ar y wyneb budr hwnnw. Dwy gell wag arall wedyn, ac yno, yng nghell olaf y córidor oedd y clerc John Turner.

'Wyt ti eisiau i mi ddod i mewn gyda thi?' holodd Benjamin yn Ladino wrth iddo roi'r allwedd yn y clo.

'Dim diolch,' atebodd Grasi.

'O'r gorau. Mi wna i aros yma,' meddai. Agorodd y drws, y metel yn gwichian ac yn clencian. *Buena suerte,* dywedodd wrthi'n siriol. 'Pob lwc!'

Eisteddai John Turner ar y gwely amrwd, ei draed yn y gwellt a orchuddiai lawr y gell. Taflai'r llusern olew yn y córidor ddigon o olau trwy fariau'r drws ac felly gallai Grasi weld ei wyneb yn glir – wyneb a fyddai'n olygus pe na bai wedi'i gleisio mor ddrwg. Roedd ei drwyn wedi'i dorri ac wedi chwyddo'n fawr, ei wefus isaf wedi'i hollti'n ac un llygad yn ddu a bron wedi cau. Nid oedd gweld olion trais ar wyneb gelyn yn beth a boenai Grasi bellach. Derbyn pethau felly oedd un o amodau bywyd yn y Gwasanaeth. Cyrraedd y nod oedd yn bwysig, nid y modd y cyrhaeddwyd y nod hwnnw. Un o'r gwersi pwysicaf a ddysgodd ar ôl ymuno â'r Gwasanaeth oedd bod ymddygiad didrugaredd a rheswm oeraidd yn esgor ar lwyddiant. Tybiai Grasi fod y dyn ifanc yn ymfalchïo yn ei wallt melyn tonnog fel rheol, ond roedd yn flêr ac yn fudr ar hyn o bryd ac yn debycach i'r gwellt dan ei draed. Gwelai yn ôl y blewiach ar ei fochau a'i ên nad oedd wedi'u heillio ers iddo gael ei gipio. Neidiodd y carcharor ar ei draed ar ôl i Benjamin gau'r drws gyda chlec.

'*So what's this?*' Siaradai Saesneg fel rhywun o dde Lloegr a oedd wedi derbyn addysg o safon. 'Anfon yr anghenfil hwnnw o Albanwr barbaraidd i fy arteithio i, a nawr maen nhw'n gyrru merch fach ddu i 'ngwawdio i?' Safodd Grasi'n dawel o'i flaen, yn gwrthod ei ateb. Rhochiodd y dyn yn ddirmygus. 'Gwranda di arna i felly, ferch. Mae'r bobl yr wyt ti'n eu gwasanaethu, selogion Georgia, mor hunanfodlon, yn edrych i lawr eu trwynau ar bawb arall.' Dechreuodd ei wefus isaf waedu eto wrth iddo siarad.

'Rwyf yn un ohonyn nhw, selogion Georgia,' meddai hi'n dawel, 'nid un o'u gweision nhw.'

'*A-ho! Well then!*' Ceisiai Grasi ganolbwyntio ar ei eiriau ac anwybyddu'r stribed fach goch a oedd yn rhedeg i lawr ei ên o'i wefus ac yn creu parodi gwaedlyd o locsyn bwch gafr. '*Look at you! You silly, self-obsessed creatures! Boasting about your American Utopia here in Georgia, going on and on about your perfect society, but look around you. There is poverty here just as there is in England. There are beggars on the streets of Savannah just as there are in London.*' Poerodd yn y gwair wrth ei draed, y llysnafedd yn gymysg â gwaed. 'Rhagrithwyr, dyna ydych chi, rhagrithwyr, pob un! Pa wahaniaeth os yw slebog fach ddu fatha chdi a ddylai fod yn chwysu mewn cae yn Ne Carolina neu'n Virginia yn cael lordio'i hun o gwmpas Safana, yn meddwl ei bod hi gystal â benyw wen a aned yn Lloegr? Creaduriaid pathetig ydych chi, dim ond jôc ym marn gweddill y byd gwaraidd. Dyna ydych chi, bobl honedig rydd Georgia a ffyliaid y trefedigaethau rhydd eraill. Dyna ydych chi –jôc!'

Clywodd Grasi fod Benjamin yn symud yn y córidor ar yr ochr arall i fariau haearn y drws, yn gwasgu'n agosach er mwyn gweld a oedd y dyn yn ei bygwth hi, ond nid oedd arni ofn o fath yn y byd. Dyma ddyn a hoffai glywed sŵn ei lais ei hun, casglodd, ac roedd hi wedi dysgu flynyddoedd yn ôl mai'r peth gorau oedd gadael i ddynion o'r fath siarad yn ddilyffethair. Awgrymodd y wên faleisus ar wyneb briw John Turner ei fod yn credu mai fo oedd â'r llaw uchaf a bod ei eiriau wedi'i tharo hi'n fud. Gorau oll, meddyliodd Grasi. Gad i'r ffŵl siarad.

'*This whole place, this kingdom of hypocrites and madmen is nothing but a short-lived joke, you see.*' Roedd y gwaed yn diferu o'i ên ac yn ychwanegu at y smotiau cochion sylweddol a oedd ar ei grys gwyn yn barod. 'Mae'r byd a'i hanes yn llyfr mawr, weli di, yn gyfrol fawr swmpus, ac mae'n gwbl siŵr na fydd hanes breuddwyd fawreddog Georgia yn ddim byd mwy na phennod fer iawn yn y llyfr hwnnw. Pennod fer yn adrodd stori sy'n rhyfedd a thrist. Hanes pobl oedd yn meddwl eu bod nhw'n well na gweddill y byd gwareiddiedig.' Poerodd ragor o waed i'r gwellt a chwarddodd yn goeglyd eto. 'Ond mae'r bennod fer a rhyfedd honno ar fin dod i ben.' Oedodd, rhywbeth yn debyg i bryder yn dod dros ei wyneb. '*I only regret that I might not be alive to see your sad little chapter brought to a conclusion.*'

Gwyddai Grasi mai hon oedd yr adeg i siarad a gwnaeth hynny trwy efelychu'i acen o a sicrhau bod goslef ei llais yn awgrymu cydymdeimlad.

'*Well now. I can't deny that there is a degree of truth in what you say.*'

Seibiodd, yn craffu ar lygaid y dyn, yn asesu'i ymateb i'w geiriau hi. *'But you need not think that these next days will be your last.'*

'Oh please! You barbarians will surely have your pound of flesh. Perhaps tomorrow that monstrous Scotsman will come back and finish beating me to death.'

'Paid â siarad fel yna!' ebychodd Grasi mewn braw, yn siarad fel rhywun a oedd yn hoff ohono, fel cyfeilles neu chwaer a oedd am ei ddarbwyllo i fagu digon o ewyllys i fyw. 'Mae modd sicrhau eich bod chi'n fyw i weld y bennod nesaf yn hanes America.'

'Fydda i ddim yn bradychu 'nghyfeillion yn Lloegr. Doedd dyrnau'r Albanwr mawr ddim yn gallu curo'r wybodaeth honno allan ohono i, a fydd eich geiriau addfwyn chi ddim yn ei llusgo allan chwaith.'

'Twt, twt!' Chwaer hŷn yn dweud y drefn wrth ei brawd bach ydoedd rŵan, cariad yn cyflyru'r cerydd. 'Fyddwn i byth yn dychmygu ceisio gwneud y ffasiwn beth! Gwn yn iawn eich bod yn ddyn ffyddlon a chadarn. Er ein bod ni'n gweld rhai pethau ychydig yn wahanol, fyddwn i ddim am gael dyn mor anrhydeddus i gefnu ar ei lw a bradychu'i safonau moesol ei hun.'

'Well then.' Croesodd ei freichiau o flaen ei frest, bron fel pe bai'n mabwysiadu rôl y brawd bach pwdlyd. 'Os wyt ti'n dweud y gwir, beth allaf ei wneud i achub fy mywyd heb fradychu 'nghyfeillion a'm llwon?'

'Dau beth. Yn gyntaf, hoffwn i glywed am y swyddfeydd yn Neuadd y Ddinas. Dim byd am y papurau rydych chi wedi'ch cyhuddo o'u copïo, dim ond manylion bach pob dydd. Eich ffrindiau chi yn y swyddfeydd. Y cydweithwyr nad ydych mor hoff ohonyn nhw. Dim byd yn ymwneud â gwleidyddiaeth, dim ond manylion bach am waith clerc yn y Neuadd, er mwyn bodloni chwilfrydedd merch na fydd byth yn gallu dal swydd o'r fath.'

Oedodd Grasi, yn astudio'i wyneb. Roedd o'n gwrando arni'n astud ac roedd y feirniadaeth chwerw wedi cilio o'i lygaid. Gwenodd hi, fel un a oedd yn torri newyddion da i gyfaill.

'Ac yn ail, rwyf am ofyn i chi wneud rhywbeth syml iawn. Rhywbeth y byddech chi wedi'i wneud yn barod, mae'n siŵr, pe na bai'r rhai sy'n eich dal yma mor anwaraidd a chreulon.' Gwenodd o ychydig a dechreuodd y gwaed lifo o'i wefus isaf eto. Gwenodd Grasi hithau. 'A wnewch chi ysgrifennu nodyn bach ar gyfer y prif glerc yn eich swyddfa? Er mwyn iddo beidio â phoeni amdanoch chi. Dywedwch fod hen salwch plentyndod wedi ailafael ynoch chi a bod eich meddyg wedi awgrymu'ch bod chi'n mynd i un o ynysoedd yr arfordir er mwyn manteisio ar awel y môr a gwella.' Oedodd Grasi er mwyn pwysleisio'i geiriau nesaf. 'Os ydych chi'n gwneud y pethau syml hyn, gallaf eich sicrhau na fyddwch yn cael eich lladd.' Gwenodd hi eto. 'Mae'n bosib y cewch ddychwelyd i Loegr yn ddyn rhydd cyn bo hir, hyd yn oed.'

'*Well then,*' meddai, yn codi llaw er mwyn ceisio twtio'i wallt tonnog ychydig. '*I suppose I could do that. Will you fetch me paper, pen and ink?*'

Ekon oedd y cyntaf i'w cyfarch pan ddaeth Grasi a Benjamin yn ôl i fyny'r grisiau.

'A sut oedd y cwd llithrig?'

'Yr un fath,' meddai Benjamin yn ddidaro, yn cymryd ei sêt eto yn ymyl y llall. Anwybyddodd Grasi'r ddau ddyn ifanc, ac anelodd ei geiriau at y pennaeth y tu ôl i'w ddesg.

'Bydd angen deunydd ysgrifennu arno.' Oedodd, yn

ystyried. 'A byddai ychydig o fwyd a diod o safon yn helpu'r achos hefyd, dwi'n credu.'

'O'r gorau,' meddai Regus Carter.

'Diolch. Dof yn ôl i gasglu'r llythyr ar fy ffordd allan.' Roedd hi am ymadael yn syth, ond siaradodd yr hen ddyn eto.

'Cyn i ti fynd, Grasi.' Chwifiodd damaid bach o bapur ati hi. 'Neges i ti. Cyrhaeddodd pan oeddet ti wrthi'n siarad â'n gwestai i lawr y grisiau.'

Prysurodd Grasi at y ddesg a chymryd y darn papur. Sylwodd yn syth mai llaw Ana ydoedd:

~TξL/cξZA3LH6AE\Q2/
GⱯ#A2ES/*LK\ξRL/
8W\[Z2ξJ#

Saesneg oedd iaith y neges tu ôl i'r cod a darllenodd Grasi hi'n uchel.

'Lachlan McIntosh biau'r goets a welaist.'

'Darllenais i hi hefyd,' nododd Regus Carter. 'Clywais dy fod wedi holi am y cerbyd. Rhaid ei fod wedi croesi'r afon o Dde Carolina ar y fferi fawr.'

'Rhaid,' cytunodd. 'Rhyfedd nad oedd neb wedi sôn.'

'Mae meddwl pawb yn y Gwasanaeth wedi bod ar faterion eraill yn ddiweddar.'

'Ac felly yn gadael i rai pethau lithro heibio a allai helpu datrys y materion eraill hynny.'

'*We are all chastised!*' Roedd llais Regus Carter yn ddifrifol ac yn ddigri ar yr un pryd. Estynnodd ei law a gofyn, 'Wyt ti eisiau i mi ei losgi?'

'Ydw. Diolch.' Rhoddodd Grasi'r tamaid papur iddo. Agorodd ddrôr yn ei ddesg ac estyn blwch tân bach.

'Hoffwn ofyn un peth i ti, Grasi.' Daliodd y papur rhwng ei fys a'i fawd a'i gynnau â'r llaw arall. 'Cyn i ti fynd.'

'Wrth gwrs.' Gwyliodd y ddau'r fflamau bychain yn marw wrth iddo ollwng y neges danllyd mewn disgyl ar ei ddesg. Edrychodd arni hi wedyn.

'Pa fath o argraff wnaeth John Turner arnat ti? Wyt ti'n credu y byddai'n bosib i ni ei droi a'i ddefnyddio?'

'Nac ydw,' atebodd Grasi'n syth. 'Mae rhagfarn yn ddwfn yn enaid y dyn yna. Mae ei ffawd yn dibynnu ar farn y Cyngor, wrth gwrs, ond...'

'Ond?'

'Ond mae arna i ofn na fydd gennych chi ddewis ond ei ladd yn y diwedd.' Edrychodd Grasi ar Ekon a Benjamin, a oedd yn siarad â'i gilydd yn dawel. 'Fel arall, bydd rhaid i chi ei gadw yn y seleri am weddill ei oes.' Y nod oedd yn bwysig wedi'r cwbl, meddai Grasi wrthi'i hun wrth iddi adael yr ystafell. Os na fyddai cadw John Turner yn fyw yn fodd iddyn nhw symud yn nes at y nod, ni fyddai rheswm dros ei gadw'n fyw.

Neuadd y Ddinas

SAFAI NEUADD Y Ddinas ar ben Stryd y Tarw, ei chefn i'r Strand a dociau'r afon a'r grisiau crand yn arwain at ei drysau llydan yn croesawu pwy bynnag a gerddai i'r gogledd ar hyd y stryd. Roedd yr adeilad gwenithfaen mawr fel angor i'r stryd, yr un mor solet â'r adeiladau cerrig a lenwai'r blociau yng nghanol y ddinas, ond wedi'i osod ar ei ben ei hun yn y lle amlwg hwn. Argus Williams oedd Grasi heddiw a heddiw oedd diwrnod cyntaf Argus Williams yn Neuadd y Ddinas. Roedd wedi mynd â'i dystlythyrau y diwrnod blaenorol, a chafodd groeso cynnes iawn gan Erasmus Higgins, y prif glerc. Dim ond y bore hwnnw y derbyniodd Mister Higgins nodyn yn ei hysbysu bod un o'i glercod, John Turner, wedi'i daro'n wael ac wedi mynd am wyliau estynedig ar un o'r ynysoedd er mwyn ceisio adfer ei iechyd. Ond cyn iddo ddechrau chwilio am rywun digon galluog i gymryd ei le, dyma ffawd yn dod â'r dyn ifanc hwn ato, ynghyd â dau dystlythyr gan ddau o'r Dirprwywyr.

Dyn ifanc hyderus oedd Argus Williams. Ac roedd yn uchelgeisiol hefyd. Roedd wedi bod mewn ysgol breswyl dda yn Philadelphia ac wedi gweithio fel clerc i fasnachwr parchus yn y ddinas honno cyn penderfynu symud i Safana. Gan ei fod o dras Affricanaidd roedd yn teimlo y byddai'i ddoniau'n cael

127

eu cydnabod yn well yn Georgia. Er bod ei ddillad yn syml, roeddyn nhw o'r safon uchaf, a gwisgai chwig gwyn byr o dan ei het drichorn, yn awgrym o'i uchelgais gymdeithasol. Roedd Pensylfania'n agos at ddileu caethwasiaeth oddi mewn i'w ffiniau yn gyfan gwbl, ond ni allai Argus ddringo'n uchel iawn yng nghymdeithas Philadelphia, a'i obaith oedd y byddai'r holl lwybrau a arweiniai at lwyddiant ar agor iddo yn Georgia. Ond er ei fod yn ymwybodol iawn o'i allu'i hun, roedd yn ddyn cwrtais a wyddai fod disgwyl i glerc ifanc fod yn dawel ac yn ufudd. Ac er gwaethaf ei hyder cynhenid, roedd Argus Williams ychydig yn nerfus heddiw, ac yntau'n dechrau swydd newydd mewn dinas newydd.

Symudodd yn gyflym i fyny'r grisiau gwenithfaen mawr ac agorodd un o'r drysau dwbl yn bwrpasol, yn ceisio ymddangos fel pe bai'n gwybod yn union beth oedd yn ei wneud wrth gyrraedd ei waith y bore hwnnw. Cerddodd ar hyd y cyntedd llydan, heibio i'r meinciau a fyddai'n llenwi gyda thrigolion disgwylgar cyn hir ac o dan bortreadau'r Dirprwywyr. Wedyn, rhagor o feinciau gyda darluniau eraill uwch eu pennau – portreadau o'r Ymddiriedolwyr, yn fwy eu maint ac yn fwy cain eu gwneuthuriad na'r lluniau eraill. Yno ar ddiwedd y cyntedd oedd desg clerc y dydd; roedd y dyn yno'n barod, yn disgwyl am y bobl gyntaf a ddeuai i holi am hyn a'r llall. I'r dde âi córidor i'r rhan o'r adeilad a ddefnyddid gan y Cwnstabliaid, ac i'r chwith rhedai córidor arall at y Swyddfeydd Dinesig. Ac ar bob ochr i'r ddesg dderw fawr, ac ychydig y tu ôl iddi, oedd y grisiau mawreddog a blygai i fyny i'r llawr cyntaf. Ar y wal y tu ôl i gadair clerc y dydd hongiai portread mawr o Gadeirydd yr Ymddiriedolwyr, y Cadfridog James Oglethorpe.

'*My names is Argus Williams,*' dywedodd, yn ceisio swnio'n gwrtais ac yn hyderus ar yr un pryd, '*I am –*'

'*Yes, yes!*' Safodd clerc y dydd a phlygu dros y ddesg fawr er mwyn ysgwyd ei law. '*To replace Mister Turner.*' Parhaodd i ysgwyd ei law'n frwdfrydig. 'Mae'n braf iawn cyfarfod â chi, Mister Williams. Rwyf wedi clywed pethau da iawn amdanoch chi. Albert Weber ydw i.' Tynnodd ei law'n ôl o'r diwedd. Roedd Grasi'n gwybod yn iawn pwy oedd y dyn canol oed hwn; gwyddai ychydig am ei dad o Almaenwr a'i fam o Saesnes hyd yn oed, y ddau wedi'u claddu ers rhai blynyddoedd. 'I fyny'r grisiau,' meddai Albert, yn cymryd ei sêt eto. 'Yn swyddfeydd y Dirprwywyr y byddwch chi'n gweithio.'

'Diolch yn fawr iawn i chi, Mister Weber. Rydych chi'n hynod garedig.' Gwenodd Argus Williams yn hael arno, cyn troi a dechrau cerdded i fyny'r grisiau ar y chwith. Mae'r dyn hwn yn unig, meddyliai Grasi; mae eisiau ffrindiau arno fo. O'r gorau, mi adawa i iddo feddwl y gallai Argus Williams fod yn gyfaill newydd da.

Cafodd groeso cynnes gan Erasmus Higgins yn swyddfeydd y Dirprwywyr hefyd. Yno yr oedd yn sefyll yn y brif swyddfa, yng nghanol ei deyrnas fach, desgiau'r clercod is yr oedd yn bennaeth arnyn nhw ar bob ochr iddo. Cyflwynodd Mister Higgins y newydd-ddyfodiad i glercod eraill y swyddfeydd; rhai a weithiai yn y swyddfa fawr gyntaf honno, a rhai mewn ystafelloedd eraill i lawr y córidor. Gwnaeth Argus Williams sioe o geisio cofio'u henwau, ond roedd Grasi'n gwybod enw pob un yn barod. Nid oedd Grasi'n synnu bod David Adair ychydig yn oeraidd; y fo oedd ffrind pennaf John Turner yn Neuadd y Ddinas ac roedd yn amlwg yn poeni nad dros dro'n unig y byddai Argus Williams yn cymryd lle'i gyfaill yn y swyddfa. Er bod y lleill yn fwy croesawgar, ni chafodd gyfle i siarad llawer â nhw gan fod pawb am ymddangos yn brysur o flaen y prif glerc.

Tywysodd y dyn Argus Williams i ran arall y llawr hwnnw er mwyn dangos y ddwy ystafell gyfarfod fawr iddo, Siambr yr Ymddiriedolwyr a Siambr y Dirprwywyr, pob un â bwrdd hirgrwn a chadeiriau derw praff o'i gwmpas, y waliau wedi'u harddurno â lluniau yn darlunio hanes cynnar Safana a threfedigaeth Georgia. Uwchben y gadair wrth ben y bwrdd yn Siambr yr Ymddiriedolwyr oedd y llun enwog o Tomochichi'n croesawu James Oglethorpe pan ddaeth gyntaf i America, llun a oedd wedi'i atgynhyrchu dros y blynyddoedd a'i ddefnyddio mewn nifer o ffyrdd, copïau safonol yn addurno waliau mewn nifer o dai, fersiwn ohono wedi'i baentio ar yr arwydd uwchben drws y *Savannah*, gwesty mwyaf moethus y ddinas, a fersiwn syml di-liw yn label ar nwyddau un o gwmnïau masnach mwyaf llewyrchus Georgia. Wrth iddynt gerdded yn ôl heibio'r grisiau i'r swyddfeydd, eglurodd Mister Higgins fod y Dirprwywyr yn defnyddio Siambr yr Ymddiriedolwyr ar gyfer cyfarfodydd gydag ymwelwyr pwysig, ond fel arall prin iawn oedd ei defnydd hi gan mai yn achlysurol iawn y deuai rhai o'r Ymddiriedolwyr ar ymweliad o Lundain. Daeth y daith fer o gwmpas llawr cyntaf Neuadd y Ddinas i ben pan ddangosodd Mister Higgins ddesg Argus Williams iddo. Cododd y prif glerc ei law a chyfeirio llygaid y newydd-ddyfodiad at ddrws arall ym mhen pellaf yr ystafell fawr.

'*That is the door to my office, Mister Williams. Please feel free to call on me during the day if you need help or advice.*' Wedyn, ar ôl dymuno'n dda iddo, cerddodd Erasmus Higgins yn araf trwy'r ystafell, yn troi'i ben i edrych ar y clercod eraill wrth eu desgiau wrth iddo rodio heibio. Yna, diflannodd trwy ddrws ei swyddfa.

Treuliodd Argus Williams weddill y bore'n ymgyfarwyddo â'r domen o bapurau a oedd wedi ymgasglu ar ddesg John

Turner. Roedd eraill wedi cymryd y gwaith pwysicaf a mwyaf diddorol yn barod – twtio iaith statudau drafft a chofnodion cyfarfodydd y Dirprwywyr – ac felly diflas a dinod oedd cynnwys y dogfennau a oedd ar ôl. Pan ddaeth amser cinio, sylwodd fod rhai clercod yn gadael mewn grwpiau bychain i fwyta yn un o'r tafarndai cyfagos. Penderfynodd aros a defnyddio'r amser i chwilota ychydig yn y swyddfeydd gwag. Ni welodd ddim byd neilltuol yn y gwaith papur ar y desgiau eraill, ond daeth o hyd i bethau diddorol yn nroriau tair ohonynt – rhestr o longau a ddaethai i Safana wedi'i chuddio o dan nifer o bapurau eraill yn nesg David Adair, fflasg fach yn nesg dyn o'r enw Robert Raskin a oedd yn hanner llawn â rym tywyll, a phistol llwythog yn nesg y prif glerc, Erasmus Higgins. Yr hyn a dynnai'i sylw am y rhestr o longau yn nesg Adair oedd y ffaith nad oedd y gwaith ar ei ddesg yn ymwneud â'r dociau a'r trethi masnach.

Sicrhaodd Grasi fod Argus Williams wrth ei ddesg eto cyn i'w gydweithwyr ddechrau dod yn ôl o'u cinio. Roedd gwaith y prynhawn yr un mor ddiflas â gwaith y bore, ond daeth i ben yn y diwedd ac yna roedd Argus Williams yn rhan o lif o glercod Swyddfeydd y Dirprwywyr a oedd yn tywallt i lawr y grisiau ac yn ymuno â llif o glercod y Swyddfeydd Dinesig a oedd yn gadael eu hystafelloedd nhw ar y llawr gwaelod. Gwasgodd Argus at ddesg clerc y dydd a gadael i'w gydweithwyr fynd heibio iddo. Plygodd dros y dodrefnyn mawr er mwyn sicrhau bod Albert Weber yn ei glywed, gan fod tipyn o dwrwf wrth i'r clercod hel clecs â'i gilydd, gwneud cynlluniau ar gyfer diod ar y Strand cyn ei throi hi am eu cartrefi, neu ffarwelio am y diwrnod.

'A! Mister Williams!' Safodd y clerc canol oed, gwên fawr ar ei wyneb. 'Sut oedd eich diwrnod cyntaf?'

'Da iawn, diolch, Mister Weber,' atebodd, ei lais ychydig yn ansicr. 'Ond rhaid i mi gyfaddef nad yw'n hawdd dod i adnabod pobl yma.'

'Ie, wel, nid yw'n syndod eich clywed yn dweud hynny.' Gwenodd Albert Weber, a siradodd ychydig yn is. 'Rydyn ni yn y Swyddfeydd Dinesig yn credu bod y clercod i fyny'r grisiau'n edrych i lawr eu trwynau arnon ni. Fel be bai gwaith papur y Dirprwywyr yn bwysicach nag ymdrin ag ymholiadau trigolion cyffredin y ddinas a'r drefedigaeth.'

'Ie,' cytunodd Argus Williams, ei lais ychydig yn gynllwyngar hefyd. 'Dyna'r argraff a ges i gan fy nghydweithwyr newydd, a dweud y gwir.' Celwydd ydoedd, wrth gwrs, ond ni fyddai'r dyn yn gallach. Gwgodd. 'Dydyn nhw ddim yn orawyddus i groesawu clerc newydd i'w plith chwaith.'

'Dwi ddim yn synnu o gwbl, Mister Williams,' dywedodd y dyn, yn estyn cylch o agoriadau o'i boced ac yn plygu i gloi droriau'r ddesg fawr.

'Felly, tybed, Mister Weber... a ydych chi'n gweithredu fel clerc y dydd eto yfory?'

'Nacdw, Mister Williams. Byddaf yn ôl wrth fy nesg fy hun.' Oedodd, yn chwilota trwy'r rhestr yn ei ben. 'Mister Oxenholm sydd ar ddyletswydd yfory, os rwy'n cofio'n iawn.'

'Da iawn, da iawn,' meddai Argus Williams, yn siarad ychydig yn gyflymach. 'Os felly, a hoffech ymuno â mi am ginio yfory?'

'Byddai hynny'n hyfryd iawn, Mister Williams!' Gwenodd yn llydan. 'Edrychaf ymlaen yn fawr iawn!'

★

Ar ôl prysuro adref a bwyta swper cyflym – ychydig yn fwy na'r arfer er mwyn gwneud yn iawn am y cinio na chafodd – newidiodd Grasi ei dillad ac aeth i grwydro'r Strand gyda'r nos yn rhith y cardotyn. Ac felly wedi treulio'r diwrnod fel clerc parchus a gweithgar y tu mewn i Neuadd y Ddinas, treuliai dalp o'r noson fel llanc tlawd mewn dillad carpiog yn mynd o dafarn i dafarn, a llawer o'r adeiladau bach pren simsan hynny yng nghysgod yr adeilad gwenithfaen mawr.

Roedd y *Samling Gull* wedi codi angor a'i throi hi am Fryste eto, yn cludo casgenni o rym a sypiau o sidan yn lle teithwyr, ac roedd y *Kiowah* ar daith arall i Charleston a phorthladdoedd eraill yn Ne Carolina. Roedd y slwpiau bach eraill wedi hwylio am ynysoedd yr arfordir, ac felly roedd yr afon yn ymddangos yn gymharol wag. Ar wahân i'r *Maria Argota*, dim ond llestri pysgota bychain a'r cychod fferi a âi â phobl dros yr afon i Dde Carolina a oedd wrth angor. Bu'r *Maria Argota* yn nodwedd barhaol o'r olygfa ers peth amser; aethai ei pherchnogion yn fethdalwyr, ac roedd y barc mawr tri hwylbren yn weddol hen ac yn disgwyl prynwr mentrus a oedd yn fodlon buddsoddi ynddi er mwyn sicrhau'i bod hi'n gallu croesi'r Iwerydd yn ddiogel eto. Roedd Grasi wedi hen arfer clywed cludwyr y dociau a'r morwyr a yfai yn nhafarndai'r Strand yn dadlau ynglŷn â ffawd yr hen long, gyda rhai'n sicr na fyddai neb yn ei phrynu ac yn taeru mai'i llusgo i'r lan a'i chwalu'n ddarnau fyddai'i diwedd hi.

Wrth iddi glustfeinio ar y sgyrsiau yn nhafarndai'r Strand y noson honno, roedd Grasi'n meddwl am y rhestr o longau a welsai yn nesg David Adair. Tybed a oedd yn un o'r dynion hynny a gadwai ddyddiadur ac a gofnodai'r llongau a ddeuai i Safana, fel y cofnodai eraill newidiadau'r tywydd? 'Ship spotter' oedd yr enw dirmygus y taflai rhai o weithwyr y dociau at y boneddigion a ddeuai i sefyll ar y Strand a siarad am y llestri wrth angor. Nid oedd wedi'i tharo fel y math o ddyn a fyddai'n ymroi i ddifyrrwch o'r fath, ond eto nid oedd hi'n adnabod y clerc ifanc yn ddigon da i farnu.

*

Y cinio gydag Albert Weber oedd y peth mwyaf diddorol am ail ddiwrnod Argus Williams yn ei swydd newydd. Awgrymodd y clerc canol eu bod nhw'n cerdded ychydig yn bellach a mynd i Dafarn yr Ardd gan ei bod yn neisiach na'r tafarndai bychain yn ymyl Neuadd y Ddinas, busnesau y cyfeiriai atynt fel *'slop houses'*. Gwrandawai Argus gyda chryn ddiddordeb wrth i Albert egluro ychydig o hanes y ddinas iddo.

'And these are the mulberry trees,' meddai'n falch wrth iddynt adael glan yr afon a throi ar y llwybr. Aeth ymlaen i ddisgrifio diwydiant sidan bach Safana a'r gwaith a wneid yn y Dirwyndy yn ymyl.

'And that's why it's called Filature Square, you see!' ebychodd Argus Williams, y newydd-ddyfodiad yn dangos ei fod yn mwynhau ymgyfarwyddo â'r ddinas ryfeddol. Cyn iddynt fynd trwy ddrws y dafarn, oedodd Albert Weber er mwyn egluro dan ei wynt fod y lle'n gyrchfan i droseddwyr yn yr hen ddyddiau.

'Mae twneli o dan y dafarn, mi welwch chi,' sibrydodd, 'ac maen nhw'n arwain at yr ogofâu yn ymyl y dociau dwyreiniol. Cyn i gyfreithiau Georgia gael eu newid er mwyn cyfreithloni gwirodydd, roedd rym anghyfreithlon o'r ynysoedd yn cael ei smyglo i mewn i'r ddinas trwy'r twneli.' Roedd Grasi wedi defnyddio'r twneli hynny yn y gorffennol a gallai eu tramwyo'n ddiogel heb olau, ond roedd yr hanes yn newyddion i Argus Williams ac ebychodd mewn syndod, yn dangos ei ddiléit.

Roedd yr ystafell gyffredin dan ei sang a dim ond un bwrdd oedd yn wag. Rhuthrodd y tafarnwr, Tom Curtain, i'w lanhau gyda chlwtyn gwlyb.

'Ah! Mister Weber! Good to see you again.'

'And this is my, my friend, Mister Argus Williams. Newly arrived in Savannah and now working in City Hall.'

Sychodd y tafarnwr ei law ar ei ffedog cyn ei hestyn i'r clerc ifanc. Ar ôl eistedd, archebodd y ddau glerc bwnsh rym gwan, powlen o gawl cranc yr un, bara a menyn. Gadawodd Grasi i Albert adloni Argus gyda rhagor o hanes y ddinas, ond pan gyrhaeddodd eu bwyd, dechreuodd ei holi am Neuadd y Ddinas. Dywedodd ei fod yn awyddus i ddysgu cymaint â phosib am y lle, a bod ei gydweithwyr yn Swyddfeydd y Dirprwywyr yn gyndyn o wastraffu amser yn egluro pethau iddo.

'Of course, my friend, of course!' meddai Albert, yn trochi tamaid o fara yn ei gawl. 'Rwyf yn fwy na bodlon i egluro unrhyw beth.'

Ac felly am weddill eu cinio, siaradai Albert am fewnolion y Neuadd, gydag ambell gwestiwn pwrpasol gan Argus yn ei gyfeirio bob hyn a hyn. Dysgodd Grasi fod clercod y Swyddfeydd Dinesig yn gwneud gwaith papur ar gyfer y Cwnstabliaid; roeddyn nhw'n rhannu'r llawr gwaelod ac roedd y Cwnstabliaid a'r Clercod Dinesig yn cael eu hystyried yn weision trigolion y ddinas a'r drefedigaeth. Holodd am gwnstabliaid unigol. Pa mor dda oedd Albert yn eu hadnabod? A oedd yn wir bod rhai ohonynt yn mwynhau'u grym ac yn lordio'u swydd dros bobl eraill? Pa mor anodd oedd hi i gael swydd fel cwnstabl yn Safana? A oedd yna rai nad oedd yn deilwng o'r swydd yn ei farn o?

Cytunodd Grasi ag asesiad gwreiddiol Martin o waith y lladron dynion yn stordy Dùghall Anam; gan fod cwnstabliaid yn cerdded o gwmpas y Strand gydol y nos – a'r stordai ar ben gorllewinol y Strand yn enwedig – roedd yn anodd credu bod tri dyn yn eu hoed a'u hamser wedi'u herwgipio o stordy Anam heb i'r un o'r cwnstabliaid glywed neu weld rhywbeth. Ac felly, ymysg pethau eraill, roedd hi am ddefnyddio ei hamser yn Neuadd y Ddinas i ganfod pa gwnstabliaid a oedd ar ddyletswydd ar y Strand y noson honno.

Gwelodd Grasi o gornel ei llygaid fod dyn yn gweithio'i ffordd trwy'r ystafell gyffredin brysur, llyfr mawr yn un llaw a sach dros ei ysgwydd. Siaradai'n siriol â phawb wrth iddo wasgu heibio i'r cwsmeriaid eraill. *'Pardon me, my good man. Thank you indeed, I'll just slip on by here.'* Acen gyfarwydd. Edrychodd arno a'i adnabod: y Cymro Iolo Morganwg. Gwenodd Argus yn gwrtais pan ymddiheurodd wrth iddo wasgu heibio i'w bwrdd nhw, ond cadwodd ei sylw ar Albert Weber.

'Ni wyddwn fod clercod y Swyddfeydd Dinesig yn gwneud cymaint!' Cododd Argus Williams ei wydr o bwnsh rym a gwneud ystum o lwncdestun. Cochodd Albert Weber a gwenodd yn llydan. Cododd ei wydr yntau. 'Mae'n syndod,' meddai Argus wrth roi'i wydr i lawr eto, 'i ddysgu'ch bod chi'n gwneud cymaint o waith yn ymwneud â chadw'r heddwch. Ga i ofyn... ai chi sy'n trefnu dyletswyddau'r cwnstabliaid hefyd, fel cylchres pob un, penderfynu pa ran o'r ddinas y mae'n ei gorchwylio a phryd?'

'O na, na.' Ysgydwodd y clerc canol oed ei ben a chododd ei

lwy er mwyn ymosod ar y cawl trwchus eto. 'Y Prif Gwnstabl sy'n gwneud hynny.'

'Gwela i,' dywedodd Argus Williams yn ffwrdd-â-hi, yn cuddio siom Grasi.

'Ond mae copi o bob cylchres yn cael ei gadw yn ein swyddfeydd ni,' ychwanegodd ar ôl llyncu llwyaid o gawl. 'Ac mae gwneud y copïau yna'n waith pur ddiflas hefyd, gan fod llawysgrifen y Prif Gwnstabl mor flêr ac yntau'n ysgifennu mor gyflym a di-hid.'

*

Ar ôl mynd adref a bwyta'i swper y noson honno, aeth Grasi allan eto, yn y rhith arferol a ddefnyddiai yn y nos. Llithrodd o ddrws tu blaen ei thŷ ar ôl sicrhau nad oedd neb o gwmpas, ond yn hytrach na cherdded trwy'r berllan fach, aeth o gwmpas y tŷ a'r stordy mawr y tu ôl iddo er mwyn mynd ar y lôn bridd fel pe bai wedi teithio i'r ddinas o rywle yn y wlad. Yn hytrach na cherdded ymlaen ar draws y groesffordd heibio i Ddistyllty Zadoc, trodd i'r chwith er mwyn dilyn y lôn i'r gorllewin. Ymlaen wedyn, a'r lôn yn plygu i'r gogledd. Nid oedodd yn ymyl Stabl Broton gan y gwyddai y byddai'r gweision yn debygol o ymateb yn gas i gardotyn o'r fath. Ymlaen, ac aroglau'r stabl yn dechrau ildio i arogleuon yr afon wrth iddi nesáu at y stordai ar ben gorllewinol y Strand.

Gwelodd gwnstabl yn syth, yn cerdded yn araf rhwng dau stordy, ei ffon hir yn ei law. Roedd y lleuad bron yn llawn a'r noson yn glir, ond roedd y cysgodion yn hir yn ardal y stordai ac felly ni allai weld wyneb y dyn. Aeth y llanc tlawd ymlaen wedyn rhwng yr adeiladau mawrion, yn symud o lech i lwyn trwy'r cysgodion. Daeth at lan yr afon ac yno yn ymyl un o adeiladau Fearchar MacGilleBhràth oedd stordy Dùghall Anam.

'You! Boy!' Dyna gwnstabl arall, yn cerdded o gyfeiriad y tafarndai. *'Move along now and don't loiter here.'* Cododd y cardotyn ei law at ei ael mewn salŵt goeglyd a phrysuro heibio'r cwnstabl, y dyn yn rhodio ymlaen gyda'i ffon ar ei ysgwydd ac yn diflannu yng nghysgodion y stordai, a Grasi yn penderfynu mynd i glustfeinio ar yr yfwyr yn y dafarn gyntaf ac o bosib holi ambell gwestiwn. Edrychodd ar yr afon ac yno yng ngolau'r lleuad oedd y *Seraphim Rose*, wrth angor yn ei safle arferol yn ymyl Ynys Hutchinson. Gallai weld ychydig o symud ar ei bwrdd hi; rhaid bod y llong wedi cyrraedd yn ystod yr oriau diwethaf a'r morwyr wrthi'n ei pharatoi ar gyfer ei harhosiad. Gwyddai y byddai Cyngor Safana wedi dod ynghyd yn syth er mwyn clywed hanes Amos Hawkins a throdd hi am Sgwâr Persifal.

Codai gwynt o'r afon wrth iddi adael y Strand; roedd mis Medi bron ar ben, ond roedd y noson yn troi'n anarferol o oer hyd yn oed ar gyfer y tymor hwnnw. Erbyn iddi gyrraedd y sgwâr roedd yr awyr wedi cymylu. Nid oedd neb yn y gofod cyhoeddus nac ar y strydoedd o'i gwmpas. Eisteddai'r gofeb yng nghanol y sgwâr fel cysgod mawr a symudai'r llenni hir o fwsog Sbaenaidd yn y gwynt. Oedodd yng nghysgodion y coed cyn croesi Stryd Efrog er mwyn sicrhau nad oedd neb o gwmpas ac wedyn rhuthrodd draw at y tŷ mawr a churo'n ysgafn ar y drws coch. Ar ôl i Eachann Mòr ei gadael i mewn a chau'r drws eto y tu ôl iddynt, edrychodd ar Grasi.

'Chan fhaca mi am balch seo o chionn greis,' dywedodd, yn gwenu ychydig. 'Dwi ddim wedi gweld y llanc hwn ers talm.' Ond ni chydiodd yr hiwmor a daeth cwlwm o ddifrifoldeb dros ei wyneb yn syth. 'Mae'n dda dy weld di. Ddaeth Robert o hyd

i ti? Mae'n chwilio amdanat ti.' Ysgydwodd Grasi ei phen. Yn ogystal â'r *biodag* arferol roedd y *claidheamh-mór* yn hongian yn ei wain o wregys lledr Eachann, ac roedd yn gwisgo sash du fel ail wregys ychydig yn uwch gyda dau bistol ynddo. Gwelodd fod Grasi wedi sylwi ac eglurodd. 'Rydyn ni i gyd tan ein harfau heno. Mae'r lladron dynion wedi taro eto ac –'

'Does bosib! Dwi newydd fod yn ymyl y stordai ar y Strand, a –' Roedd Eachann Mòr wedi troi erbyn hyn ac wedi dechrau cerdded i lawr y cyntedd, ond siaradodd dros ei ysgwydd lydan.

'Maen nhw wedi taro rhywle arall. Mae yna lawer o newyddion. Dyna pam mae Robert yn chwilio amdanat ti.' Cyrhaeddodd y drws olaf ar y chwith. 'Caiff y Cyngor egluro.' Ac ar hynny agorodd y drws.

Roedd aelodau Cyngor Safana yn eu cadeiriau arferol, golwg flinedig iawn ar wyneb Amos Hawkins ac ôl wylo ar Maria Fuchs, ei llygaid yn goch a'i hwyneb yn welw. Yn ogystal â'r canhwyllau ar y bwrdd, roedd fflamau'n llarpio'r coed yn y lle tân mawr. Siaradodd Johan Fuchs wrth i Grasi eistedd,

'*And who is this person joining us?*' Roedd rhai o'r lleill yn edrych yn synn arni hefyd.

'*You will know her by her voice when she speaks, Johan,*' meddai Fearchar MacGilleBhràth yn ddidaro. Plygai Senauki ymlaen ychydig yn ei sêt ar law dde'r Cadeirydd, er mwyn gwenu ar Grasi ac amneidio arwydd o groeso.

'Gwelais fod y *Seraphim Rose* wedi cyrraedd,' meddai Grasi yn Saesneg, yn nodi'r syndod ar wyneb Johan Fuchs o gil ei llygaid. 'Ac felly des i yma'n syth.'

'*Es iz gut,*' meddai Perla Sheftall.

'*Indeed!*' ebychodd Amos Hawkins. Roedd yn gwisgo'r gôt lwyd hir a wisgai ar y llong o hyd ac roedd y blinder ar ei wyneb yn gwneud iddo ymddangos yn hŷn. Edrychodd ar y Cadeirydd, ac amneidiodd Fearchar MacGilleBhràth, yn arwyddo y dylai siarad gyntaf. *'Well, she's a big ship of the line, the* Buckingham, *and mighty fast for such a big ship at that.'* Aeth ymlaen, goslef ei lais yn awgrymu'i fod yn crynhoi hanes yr oedd newydd ei adrodd wrth y lleill.

'Roeddwn i'n meddwl ei bod hi ar ei ffordd i borthladd arall yn y gogledd, Baltimore neu Efrog Newydd mwy na thebyg. Ond dechreuodd hwylio i'r dwyrain, yn manteisio ar wynt teg i fynd yn bell o'r arfordir yn gyflym. Bu bron iawn i ni ei cholli dros y gorwel unwaith gan ein bod yn ei dilyn o bellter. Dwy noson. Wedyn trydedd noson, a ninnau'n hwylio'n braf i gyfeiriad canol yr Iwerydd. A minnau'n weddol sicr ei bod hi ar ei ffordd yn ôl i Loegr, bu bron iawn i mi ei throi am Safana eto a rhoi'r gorau iddi, ond dechreuodd y *Buckingham* droi. Yn araf, ac i'r gogledd. Dechreuodd arafu hefyd. Roeddwn i'n rhyw feddwl ei bod wedi'n gweld ni ac am i ni ddal i fyny â hi, ond nid oeddwn am fentro. Felly taith araf oedd hi, yn mynd igam-ogam i'r gorllewin ac wedyn i'r dwyrain eto, ond yn mynd ychydig bach yn bellach i'r gogledd bob dydd. Ac yn y diwedd, dyma ni'n gweld tir eto. Erbyn craffu ychydig, yr Ynys Hir oedd y tir hwnnw. Dilynais i'r *Buckingham* am ychydig eto, digon i sicrhau'i bod hi'n mynd i mewn i borthladd Efrog Newydd. A dyna wnaeth hi.'

Cliriodd Amos Hawkins ei wddwf. *'And before you ask, no. I don't know what she was doing sailing so far to the east and then turning back for New York.'* Sylwodd Grasi fod ei fochau coch yn mynd yn gochach. 'Yr unig beth sy'n gwneud synnwyr yw bod y *Buckingham* yn gwybod ein bod ni'n ei dilyn ac am ein harwain ni'n bell i ffwrdd.'

'Because they know that the Seraphim Rose *is the best set of eyes*

we have along the coast.' Warri Jekri, min dicter ar ei lais. 'Maen nhw wedi bod yn gwneud rhywbeth yn ystod y cyfnod y bu Amos yn dilyn y *Buckingham.*'

'Os ydyn nhw'n amau'r *Rose*,' dywedodd Johan Fuchs, 'mae'n golygu'u bod nhw'n gwybod amdanon ni.'

'Gŵyr ein gelynion fod y naw ohonon ni'n bobl sy'n sefyll yn gadarn dros ryddid,' meddai Perla Sheftall, ei llais yn crynu ychydig, 'ond nid yw hynny'n golygu'u bod nhw'n gwybod am Gyngor Safana.'

'Ond mae hanes rhai ohonon ni'n fwy adnabyddus iddyn nhw, Mam,' nododd Mordecai. 'Mae'n sicr bod ein gelynion yn gwylio Fearchar, Warri ac Amos yn ofalus iawn.'

'Ac maen nhw'n gwybod nad yw Mvskoke Georgia'n gyfeillion i gaethfeistri,' ategodd Toonahowi.

'Gwir, gwir,' atebodd Mordecai Sheftall. 'Ond mae'r drafodaeth hon yn crwydro.' Edrychodd yn geryddgar ar draws y bwrdd ar Johan Fuchs. 'Y pwynt dan sylw yw'r hyn a ddigwyddodd i Amos a'r *Seraphim Rose*. Mae'n profi nifer o bethau. Yn gyntaf, mae'n profi –'

'Bod y pwerau caeth yn gwybod bod Amos Hawkins yn elyn iddyn nhw,' siaradodd Johan yn herfeiddiol, ei lygaid ar Mordecai.

'Gwir, Johan,' meddai'n gymodlon, yn gwenu ar y dyn ifanc, 'ac mae hefyd yn profi bod y Goron yn gweithio'n egnïol â'r grymoedd caeth yn America. Nid ar chwarae bach y byddai llynges brenin Lloegr yn defnyddio llong ryfel fawr ddrud fel y *Buckingham* i chwarae mig â sgwner fach fel y *Seraphim Rose.*'

'A'r hyn sy'n rhyfedd,' ychwanegodd Perla Sheftall, 'yw bod ein gelynion wedi gofyn i gapten y *Buckingham* wneud y ffasiwn beth. Mae'r Gwasanaeth wedi cadarnhau'n barod nad yw'r lladron dynion yn defnyddio cychod na llongau i smyglo'r dynion a gipiwyd allan o Safana.'

'Yn union,' ategodd ei mab hi. 'Felly ni fyddai'r *Rose* yn fygythiad i'r fenter ddieflig honno. Fyddai patrolau'r arfordir ddim wedi rhwystro'r lladron dynion. Gwyddom hynny, felly...' Roedd Senauki a Toonahowi wedi bod yn siarad yn dawel ymysg ei gilydd yn Mvskoke. Mordecai oedd yr olaf i sylwi, ond ymdawelodd yntau yn y diwedd.

'Mae gan longau fwy nag un defnydd,' meddai Toonahowi yn Saesneg. 'Mae'n gelynion yn gwneud nifer o bethau ar yr un pryd ac maen nhw'n symud mewn nifer o wahanol ffyrdd ar yr un pryd, ac rydym ni wedi'n drysu o'r herwydd.'

'Gwir y dywedodd fy nai,' ategodd Senauki. 'Mae'n meddyliau wedi bod ar y lladron dynion ers rhai wythnosau bellach, a ninnau wedi'n dychryn gan y ffaith eu bod yn taro yma yn Safana ei hun.'

'Maen nhw'n ein gwanhau oddi mewn,' poerodd Warri Jekri, 'yn cymryd dynion cryfion a allai helpu i lenwi rhengoedd ein byddin pan ddaw'r rhyfel, ac maen nhw'n gallu gwneud elw da hefyd trwy eu gwerthu'n gaethweision yn y trefedigaethau caeth.'

'Rydyn ni'n cytuno mai dyna sy'n digwydd, Warri Jekri,' atebodd Senauki. 'Maen nhw'n ein gwanhau trwy ddwyn rhai o'n dynion gorau ac maen nhw'n llenwi'u coffrau er mwyn paratoi at ryfel ar yr un pryd.' Oedodd a gosododd ei dwylo ar y bwrdd, fel pe bai am sefyll, ond ymsythu yn ei chadair yn unig a wnaeth. 'Ac felly mae'n holl ffocws ni wedi bod ar y lladron dynion. Ond mae pethau eraill yn digwydd hefyd. Rhaid i ni agor ein llygaid a cheisio gweld y darlun llawn, er bod darnau ohono wedi'u cuddio oddi wrthym ar hyn o bryd.'

'Gwir!' Curodd Fearchar MacGilleBhràth y bwrdd â'i

ddwrn. 'Mae rhyfel ar y ffordd, ac mae'r gelyn yn paratoi ar ei gyfer mewn cant o wahanol ffyrdd. Fel y dylem ni fod yn ei wneud hefyd, wrth gwrs. Ond mae taro mor agos at ein calon ni yma yn Safana wedi'n hysgwyd ni. Mae'r gelyn wedi llwyddo i dynnu'n sylw oddi ar bethau eraill.'

'Ac mae'n debyg iawn bod hynny'n rhan o'u bwriad,' ychwanegodd Mordecai Sheftall. 'Rhaid cael y Dirprwywyr i ddechrau ariannu milisia Georgia yn well.'

'Nakh nisht!' hisiodd Perla Sheftall ar ei mab, cyn ei geryddu'n Saesneg. *'I know you want to get your troops in order, but you know we can't do such things yet.'*

'Gwranda ar dy fam,' dywedodd Warri Jekri, yn plygu ymlaen er mwyn edrych ar ei gyfaill i lawr y bwrdd. 'Dwi'n rhannu dy rwystredigaeth, ond –'

'Ond fedrwn ni ddim cael ein gweld yn paratoi ar gyfer rhyfel eto,' dywedodd Senauki. 'Rhaid cofio'r darlun mawr.'

'Dim ond si ydyw ar hyn o bryd,' meddai Fearchar MacGilleBhràth. 'Rydyn ni'n gwybod bod y Goron am gefnogi'r trefedigaethau caeth, ac rydyn ni'n gwybod bod Synod Methodistaidd America yn ehangu'i ddylanwad er mwyn rhwystro cyfeillion rhyddid yma yn America, ond fydd Dirprwywyr Georgia a llywodraethau'r trefedigaethau rhydd eraill ddim yn gallu paratoi'n agored ar gyfer rhyfel nes y cyhoeddir rhyfel.'

'Ac wrth gwrs,' meddai Grasi, 'pan fydd hynny'n digwydd, nid llywodraethau trefedigaethau Prydeinig fydd yn rhyfela'n erbyn y brenin, ond –'

'Llywodraethau gwledydd annibynnol,' meddai Perla Sheftall. 'Bydd Georgia a'r lleill yn hawlio'r un statws â Gweriniaeth Rydd Vermont wrth gyhoeddi rhyfel yn erbyn Lloegr a'r trefedigaethau caeth sy'n ffyddlon iddi.'

'A dyna un o'n problemau,' meddai Cadeirydd y Cyngor, ei lygaid yn crwydro i'r arfau uwchben y lle tân. 'Mae rhai o'r trefedigaethau eraill sydd ar fin cefnu ar gaethwasiaeth yn rhanedig. Mae dynion dylanwadol ym mhob un sy'n ymddangos yn deyrngar iawn i'r brenin o hyd. Felly mae'n anodd gweld pwy fydd ar ein hochr ni pan ddaw'r rhyfel.'

'Yn gyntaf, rydyn ni'n gwybod y byddwn ni'n ymladd yn erbyn un o'r byddinoedd *mwyaf* yn y byd,' ochneidiodd Warri Jekri, 'ac yn ail, mae'n amhosib dweud ar hyn o bryd pa mor *fach* fydd ein byddin ni!'

'O'r gorau,' nododd Senauki. 'Mae'r pethau hyn yn bwysig, ond nid cyngor rhyfel sy'n cyfarfod heno.'

'Gwir,' cytunodd Fearchar MacGilleBhràth, ei lygaid yn ysgubo dros y lleill nes syrthio yn y diwedd ar Grasi. 'Ac er mwyn parhau â'n trafodaeth, rhaid goleuo Grasi am y manylion.'

'O ran ymosodiad diweddaraf y lladron dynion,' meddai Warri Jekri, 'roedd Mani Alton a'i fab hynaf Viribus wedi mynd â cheffylau i Stabl Broton ar ddiwedd y prynhawn.' Gwyddai Grasi'r gweddill cyn iddo ei lefaru. 'Ni ddaeth y ddau adref.'

'Felly nid yn unig yn nhywyllwch y nos mae'r lladron dynion yn taro bellach,' casglodd Grasi.

'Aros di,' meddai Fearchar MacGilleBhràth. 'Nid dyna'i diwedd hi.'

'Mae'n amlwg bod Martin wedi dod ar eu traws,' eglurodd Warri Jekri, 'neu, hwyrach, ei fod wedi bod yn eu dilyn.' Cododd Maria Fuchs law a'i gwasgu dros ei cheg, yn ceisio cuddio'r ffaith ei bod hi'n crio. Edrychodd Warri Jekri'n garedig arni, ond aeth yn ei flaen. 'Daeth un o'n patrolau ni ar ei draws yn ymyl y lôn, wedi'i glwyfo'n ddrwg. Yn weddol bell o Safana. Hanner ffordd rhwng Port Wentworth a Rincon, rhyw hanner milltir ar ôl gwersyllfa'r golosgwyr.' Roedd Maria'n sychu'i dagrau â hances erbyn hyn, a'i brawd Johan yn pwyso'n agos, un llaw ar ei hysgwydd.

'Dydi Martin ddim wedi deffro eto,' ychwanegodd y Cadeirydd. 'Ond mae newyddion da hefyd. Diolch i waith Martin,' edrychodd yntau ar Maria Fuchs, 'ac, ie, diolch i'w ddewrder a'i aberth o, mae'r lladron dynion wedi gadael olion y tro hwn.'

'It was a hell of a fight, by the sound of it,' ategodd Amos Hawkins.

'Bu'n rhaid iddyn nhw adael ar frys, ac mae llawer o olion.' Ymunodd Toonahowi. 'Mae rhai o'n dynion ni'n helpu patrôl Warri i ddilyn llwybr y diawliaid.'

'Oni bai bod y diawliaid wedi croesi'r afon gyntaf,' meddai Warri Jekri, 'bydd helwyr Toonahowi yn cael hyd iddyn nhw'n fuan.'

'Hyd yn oed os ydyn nhw wedi croesi'r afon!' Ychwanegodd Toonahowi'n ffyrnig.

'Gobeithio,' meddai Warri Jekri. 'Mae Mani a Viribus yn ddynion rhy dda i'w colli.'

'Mae'r holl ddynion sydd wedi cael eu cipio yn ddynion da,' nododd Mordecai Sheftall.

'Gwir iawn,' cytunodd Warri Jekri. 'Gwir iawn. Pan fyddi di'n galw milisia Georgia i'r maes, bydd rhai o'r dynion gorau ar goll. Ac mae bylchau yn fy mhatrolau innau hefyd.'

'O'r gorau,' meddai Fearchar MacGilleBhràth, yn plygu i'r ochr yn ei gadair er mwyn gweld heibio'r canhwyllau a syllu ar wyneb Grasi. 'Beth am dy hanes di?'

Eglurodd hi'n gryno yr hyn yr oedd wedi'i ddarganfod yn Neuadd y Ddinas. Cytunodd y Cyngor yn unfryd y dylai hi geisio gweld papurau'r prif gwnstabl mor fuan â phosib er mwyn darganfod pa rai o'i ddynion oedd yn cydweithio â'r lladron dynion.

'*Henka*,' dywedodd Senauki, yn pwysleisio'r pwynt. 'Fedrwn ni ddim gwastraffu amser.'

'A fyddai'n bosib ei wneud yfory?' holodd Johan Fuchs. Yn ei ymyl roedd ei chwaer Maria yn ymwroli, yn syllu'n ffyrnig trwy'i dagrau ar fflamau'r canhwyllau o'i blaen.

'Efallai,' atebodd Grasi, yn llusgo'r gair allan yn araf er mwyn cael cwpl o eiliadau i feddwl. 'Efallai y byddai'n bosib i mi eu gweld yfory, ond rwy'n weddol sicr y gallwn gael atyn nhw *nos* yfory.'

'O'r gorau,' meddai'r Cadeirydd. 'A fydd angen cymorth arnat ti, Grasi?'

'Na fydd,' atebodd, yn codi o'i chadair, 'ond rhaid i mi fynd a dechrau paratoi'n syth.'

*

Aeth Argus Williams i weithio yn Neuadd y Ddinas y bore wedyn yr un fath ag arfer, yr unig wahaniaeth oedd bod pocedi dwfn ei gôt ychydig yn drymach y tro hwn. Roedd Albert Weber yn gweithredu fel clerc y dydd eto, ac felly daeth Argus â chawl cranc mewn tun a bara o Dafarn yr Ardd iddo amser cinio.

'You are most *kind, Mister Williams*,' meddai wrth agor y tun, 'mae'r Neuadd wedi bod yn lle brafiach i weithio ers i chi gyrraedd.'

'Call me Argus,' atebodd ei gyfaill yn gynnes, ond roedd ychydig o euogrwydd yn pigo ym mynwes Grasi wrth iddi feddwl am y siom y byddai'r clerc canol oed unig yn ei chael cyn hir pan fyddai'i gyfaill newydd yn ymadael.

Ar ddiwedd y diwrnod gwaith, rhuthrodd clercod eraill y swyddfa heibio i Argus Williams, a oedd yn codi'n araf o'i ddesg. Siaradodd y lleill ymysg ei gilydd wrth iddynt wasgu trwy'r drws i'r córidor a mynd am y grisiau, pawb yn awyddus i gyrchu'r dafarn neu fynd adref at eu teuluoedd. Pa ots os mai'r dyn newydd oedd yr olaf i ymadael? Ar ôl i'r diwethaf ddiflannu trwy'r drws, aeth Grasi yn ei chwrcwd ac wedyn cuddio yn y gofod bach o dan ddesg Argus Williams, yn tynnu'r gadair yn ôl i mewn ati gymaint â phosib. Clywodd y drws ym mhen arall y swyddfa'n agor, a gwyddai fod y prif glerc, Erasmus Higgins, yn gadael ei swyddfa yntau. Gwrandawodd Grasi ar sŵn ei draed wrth iddo gerdded yn araf rhwng y desgiau; dychmygai hi ei fod yn taflu'i lygaid gyda balchder dros ei deyrnas fach, yn ymfalchïo yn y ffaith seml bod diwrnod arall o waith wedi'i orffen. Clep ysgafn y drws arall yn cau, a sŵn traed Mister Higgins yn y córidor y tu allan a'r sŵn hwnnw'n newid wrth iddo gyrraedd y grisiau.

Arhosodd Grasi yn ei hunfan, yn disgwyl ac yn gwrando. Clep fawr ddofn, a'r ergyd yn atseinio trwy'r adeilad: roedd drysau mawr dwbl Neuadd y Ddinas wedi'u cau a'u cloi am y noson. Symudodd y gadair allan mor dawel â phosib a chododd yn ofalus. Safai Grasi am yn hir yn ymyl desg Argus Williams, yn sicrhau nad oedd unrhyw sŵn arall yn Swyddfeydd y Dirprwywyr. Defnyddiodd y cyfle i grwydro o gwmpas y swyddfa a chwilota trwy ddesgiau cydweithwyr Argus. Ni welodd ddim byd a'i synnodd. Roedd Robert Raskin wedi ail-lenwi'i fflasg â rym. Agorodd y droriau yn nesg David Adair: roedd y rhestr o longau yno o dan nifer o bapurau eraill, y llinellau olaf yn nodi bod y *Kiowah* a'r *Samling Gull* wedi codi angor ac ymadael. Symudodd mewn hanner cwrcwd, yn sicrhau na allai gael ei gweld trwy'r ffenestri, ac aeth trwy'r drws cefn i swyddfa'r prif glerc. Ni welodd ddim byd o ddiddordeb ynddi hi chwaith. Roedd y pistol llwythog yn nesg Erasmus Higgins o hyd; ar ôl ei astudio ychydig, casglodd Grasi fod y fflint yn llac ac yn debygol o ddisgyn allan pe bai'r prif glerc yn ceisio tanio'r arf. Gwenodd hi, y darganfyddiad yn cadarnhau'r modd yr oedd wedi asesu'r dyn yn barod.

Roedd yn dechrau nosi pan aeth Grasi'n ôl trwy'r swyddfa fawr a symud rhwng y rhesi o ddesgiau. Oedodd yn hir cyn agor y drws a mynd allan i'r córidor, a seibiodd eto cyn nesáu at y grisiau. Clywodd synau o bell, yn dod o'r rhan o'r adeilad i lawr y grisiau a ddefnyddid gan y cwnstabliaid. A fyddai un ohonyn nhw'n patrolio rhannau gweigion yr adeilad yn y nos? Rhegodd dan ei gwynt; dylai hi fod wedi meddwl am hynny. Roedd hi wedi disgwyl clywed ychydig o sŵn gan fod y cwnstabliaid yn mynd ac yn dod yn ystod y nos trwy ddrws yn ochr yr adeilad mawr er mwyn patrolio'r strydoedd. Ond ni wyddai a fyddai un neu ragor ohonyn nhw'n dod trwy'r drws mewnol a chrwydro o gwmpas y tu mewn i'r adeilad. Brathodd ei gwefus yn galed, yn cnoi cil ar ei diofalwch. Dyna un o'r pethau cyntaf a ddywedwyd wrthi ar ôl iddi ymuno â'r Gwasanaeth: y manylyn bach rwyt ti'n ei anghofio yw'r manylyn bach a allai dy ladd di. Ar ôl sicrhau na chlywai sŵn yn y córidor oddi tani, dechreuodd fynd i lawr y grisiau, yn gosod y naill droed yn ofalus ac yn araf ac wedyn y llall. Cyrhaeddodd y gwaelod, ac yn lle mynd heibio i ddesg wag clerc y dydd i lawr y cyntedd, edrychodd yn gyntaf i'r chwith – dim arwydd o fywyd yn y córidor a arweiniai at ystafelloedd y cwnstabliaid – ac wedyn symudodd yn gyflym i lawr y córidor i'r dde.

Yn y rhan hon o'r adeilad yr oedd y Swyddfeydd Dinesig, ac roedd Grasi'n lled gyfarwydd â'r ystafelloedd hyn yn barod gan iddi ymweld â'r lle'n ddiweddar yn rhith Saesnes ifanc yn ymholi ar ran ei rhieni am drethi tir a materion bydol eraill a fyddai'n chwarae ar feddwl teulu a oedd yn ystyried ymgartrefu yn y ddinas. Roedd tri drws o'i blaen, ond gwyddai mai'r un ar y chwith oedd yr un. Nid oedd wedi'i gloi ac felly llithrodd hi i lawr córidor arall, gyda dau ddrws yn y naill wal a dau yn y llall, pob un yn agor ar swyddfeydd y clercod dinesig. Roedd drws arall ym mhen pellaf y córidor: swyddfa'r prif glerc dinesig. Cydiodd Grasi yn nolen y drws cyntaf ar y chwith iddi; roedd wedi'i gloi, ac felly estynnodd y pecyn bach o boced dde côt Argus Williams. Dadlapiodd hi'r defnydd a thynnu dau o'r teclynnau bach haearn allan. Aeth ar ei phengliniau, ac ar ôl gosod y pecyn ar y llawr, rhoddodd y ddau declyn pigfain i mewn i glo'r drws. Nid oedd yn un soffistigedig iawn, a mater o eiliadau ydoedd cyn ei agor. Rhoddodd y teclynnau yn ôl yn y pecyn a stwffiodd y pecyn yn ôl i'r boced.

Sŵn! Drws yn cau rhywle yn yr adeilad a llais yn galw! Neidiodd ar ei thraed a dechreuodd droi, ond dywedodd ei chlustiau wedyn nad oedd neb yn cerdded i'w chyfeiriad hi. Oedodd, yn gwrando am yn hir nes i'w chlustiau'i sicrhau mai y tu mewn i swyddfeydd y cwnstabliaid oedd y twrwf. Roedd dau neu dri o ddynion yn chwerthin erbyn hyn, y sŵn yn dawel gan ei fod yn ymdreiddio trwy sawl drws ac yn dod o ben arall yr adeilad. Trodd ac agor drws y swyddfa.

Cymerodd tua awr iddi fynd trwy'r ddwy ystafell gyntaf. Nid oedd dim yn ymwneud â gwaith y cwnstabliaid yn yr un o'r desgiau. Oedodd er mwyn tynnu'r bwyd o boced arall y gôt – cig carw sych wedi'i lapio mewn deilen fawr, rhywbeth a gâi gan ei chyfeillion ym mhentref y Mvskoke, a dŵr gyda mêl mewn fflasg fach i'w olchi i lawr. Meddyliodd wrth iddi gnoi'r cig caled hallt, yn ceisio dyfalu beth fyddai cynnwys y desgiau eraill ar sail y rhai yr oedd wedi'u harchwilio'n barod. Erbyn iddi roi'r fflasg wag a'r ddeilen yn ôl yn ei phoced roedd wedi penderfynu mynd yn syth i ben y córidor ac archwilio desg y prif glerc cyn ymdrafferthu â'r ddwy ystafell arall.

Roedd y clo o safon gwell, a bu'n rhaid i Grasi ddefnyddio pedwar teclyn gwahanol cyn ei agor. Dim ond un ffenestr uchel a oedd yn yr ystafell, yn rhy fach i rywun ddringo trwyddi, a pholyn metel hir i'w hagor. Yr unig ddarn o ddodrefn ar wahân i ddesg a chadair y prif glerc oedd cwpwrdd tal a llydan yn llenwi un wal. Aeth yn syth ato, a bu'n rhaid picio'r clo cyn ei agor. Roedd labeli papur wedi'u gludo ar y bocsiau bach pren a lenwai'r silffoedd a chyn hir daeth hi o hyd i'r un a ddywedai *Copies of the Chief Constable's Papers*. Aeth Grasi â'r bocs at y ddesg ac eistedd er mwyn mynd trwy'r cynnwys; roedd yn weddol lawn, ond trwy lwc roedd y rotas yn agos at dop y domen, yn syth ar ôl y cyflogresi a nodai'n dwt faint o arian a delid i'r cwnstabliaid unigol. Roedd pob rota wedi'i rhannu'n wardiau dinesig, a'r rheiny wedi'u henwi ar ôl y sgwariau – Oglethorpe, Persifal, Sant Siâms, Ffilatiwr, Johnson a Decker – ond roedd un adran ar wahân ar gyfer y Strand a'r dociau. Wedyn, roedd pob un adran wedi'i rhannu'n dair sifft wyth awr. Sifflodd Grasi'n gyflym trwy'r papurau a chanfod y noson yr oedd yn chwilio amdani, pan gipiwyd tri dyn o stordy Dùghall Anam ar y Strand. A dyna lle oedd yr enwau o dan sifft y nos: Gilbert Smyth, William Roberts, Simon Flanders a Giles Lukas. Pedwar cwnstabl. Aeth ymlaen nes canfod y dyddiadau pan gipiwyd dynion eraill o dras Affricanaidd – y chwech a gipiwyd o'u cartrefi ganol nos. Er bod y chwech yn byw mewn cartrefi gwahanol, roedd pob un yn rhan orllewinol Ward Decker. Edrychodd Grasi, a dyna lle oedd dau o'r pedwar enw: Gilbert Smyth a Giles Lukas.

Y ddau ddrwg. Rhaid bod y cwnstabliaid Roberts a Flanders yn patrolio pen arall y Strand noson yr ymosodiad ar stordy Anam tra oedd Smyth a Lukas yn 'gwarchod' y stordai a'r dociau gorllewinol.

Pan lithrodd Grasi'n ôl i fyny'r grisiau, roedd llwydni'r bore cynnar wedi disodli tywyllwch y nos yn ffenestri Neuadd y Ddinas. Eisteddodd yng nghadair Argus Williams a rhoddodd ei phen ar ei ddesg er mwyn gorffwys ychydig. Deffrowyd hi gan glep ddofn, drysau mawr y cyntedd yn agor. Safodd ac ymestyn. Roedd chwig byr a het drichorn Argus Williams wedi disgyn oddi ar ei phen. Plygodd er mwyn eu codi a'u sodro'n ôl yn eu lle. Aeth i'w chwrcwd wedyn a chuddio y tu ôl i'r ddesg pan glywodd ddrws y swyddfa'n agor. Traed yn curo'r llawr yn bwrpasol, prif glerc Swyddfeydd y Dirprwywyr yn symud trwy'i deyrnas fach i'w swyddfa'i hun yn y cefn. Roedd Argus wrth ei ddesg yn brysur yn ysgrifennu pan ddaeth y cyntaf o'i gydweithwyr i mewn. David Adair oedd un ohonyn nhw, golwg ar ei wyneb yn dweud ei fod yn gwarafun bod y dyn newydd yn y gwaith yn gynnar. Robert Raskin oedd yr olaf i gyrraedd, ei drwyn yn goch a'i het drichorn yn gam. Ar ôl ychydig, cododd Argus Williams a mynd draw at ddrws y prif glerc. Curodd yn ysgafn.

'Enter,' llais Erasmus Higgins yn hymian-ganu'r gair ac yn ei lusgo allan yn hir. *'Ah, Mister Williams. What can I do for you?'* Ar ôl iddo gau'r drws y tu ôl iddo, dywedodd y clerc newydd nad oedd yn teimlo'n dda iawn y bore hwnnw.

'Mae'n wir ddrwg gen i, Mister Higgins,' ymddiheurodd. 'Teimlaf gryn gywilydd. Ar fy llw, nid wyf wedi colli diwrnod o waith oherwydd salwch erioed yn fy mywyd, ond mae arnaf ofn fod rhaid i mi ofyn i chi adael i mi fynd heddiw.' Cododd ei law at ei geg a gwneud sŵn un a oedd ar fin cyfogi.

'Wrth gwrs, wrth gwrs, Mister Williams. Ewch adref.'
Galwodd y prif glerc ar ei ôl wrth iddo brysuro trwy'r drws,
'ac ewch i weld meddyg os nad ydych yn well erbyn amser
cinio – gall fod yn beth difrifol.'

Ceisiodd y dyn ifanc balch osgoi'r llygaid wrth iddo frysio
drwy'r rhesi o ddesgiau, ond sylwodd fod gwefusau David
Adair wedi'u plygu mewn gwên faleisus.

*

Brasgamodd Grasi i lawr Stryd y Tarw, cyffro'i llwyddiant yn
ysgubo'r blinder o'i meddwl. Gweithiai'r meddwl hwnnw'n
gyflym; gallai hi weld y camau nesaf, bron fel pe baent
wedi digwydd yn barod. Ar ôl iddi ddweud wrth Fearchar
MacGilleBhràth, byddai'n dechrau'r cynllunio, hyd yn oed
cyn galw gweddill y Cyngor ynghyd. Cyn y bore nesaf, byddai
Warri Jekri a rhai o'i ddynion gorau wedi cipio'r ddau gwnstabl
llwgr. Wedyn, ar ôl ychydig o amser yn y seleri yng nghwmni
Eachann Mòr, byddai Gilbert Smyth a Giles Lukas yn siarad.
Ar ôl hynny, ni fyddai dulliau'r lladron dynion yn gymaint o
ddirgelwch.

Rhan III
Hydref 1770

'I like them best when they're statuary. They commemorate death but they suggest a world without dying. They are made of the heaviest things on earth, stone and iron, they weigh tons but they're winged, they are engines and instruments of flight. This is the angel Bethesda.'
– Tony Kushner, *Angels in America*

Dwy Ddalfa

ROEDD Y TYWYDD yn fwyn er bod awel mis Hydref fel pe bai'n chwythu'n gynnes ac yn oer bob yn ail. Gyda'r haul uwchben mewn awyr ddigwmwl, roedd yn ddiwrnod perffaith i siopa ac roedd Tŷ'r Farchnad dan ei sang a'r stondinau bach dros dro y tu allan iddo'n llenwi rhan ogleddol Sgwâr Decker. Ymwasgai morwyn ifanc trwy'r dorf, y fasged wag ar ei braich yn awgrymu'i bod hi'n siopa ar ran ei chyflogwyr. Yn wahanol i'w sgert las blaen a'i blows lwydwen seml, roedd y foned goch a gysgodai'i llygaid rhag yr haul yn sblash o liw. Ni sylwai neb fod dau ddyn yn ei dilyn o bell, dau ddyn a oedd yn ddigon tal i weld ychydig o'i boned goch dros bennau'r holl bobl a oedd yn symud yn araf i gyfeiriad Tŷ'r Farchnad.

Daeth y forwyn at drothwy'r adeilad o'r diwedd a llwyddodd i wasgu trwy'r bobl oedd yn sefyll yn y drws mawr agored. Amneidiodd yn gwrtais wrth symud heibio i'r stondin les, yn dangos nad oedd hi am brynu'r ffasiwn foethusrwydd heddiw. Pan gyrhaeddodd y domen dwt o gasgenni rym, roedd Zadoc yn hepian cysgu yn ei gadair er gwaethaf sŵn y dorf o'i gwmpas, ei farf wen hir ar ei fynwes. Ei ŵyr oedd yn siarad â darpar gwsmeriaid, ond nid edrychodd ar y forwyn ifanc wrth iddi gerdded yn araf yn ei blaen. Bu'n rhaid iddi ymddiheuro gan na allai fynd heibio i'r stondin esgidiau heb sathru ar droed dyn a oedd yn siarad yn frwdfrydig â'r masnachwr.

Roedd gofod bach rhwng y stondin esgidiau a bwrdd gyda rhes o hetiau trichorn newydd ar bennau pren, y masnachwr yn gwisgo un â brocêd euraid o gwmpas ei hymylon. Ac yno yn y gofod bach rhwng y stondin a'r bwrdd, yn sefyll a'i gefn yn erbyn wal gerrig Tŷ'r Farchnad, oedd y dyn heb fraich chwith, llawes wag ei gôt las wedi'i phinio wrth ysgwydd y dilledyn gyda brôtsh arian mawr. Roedd ganddo chwig gwyn syml o dan ei het drichorn, ac roedd ei wallt a'i farf yr un lliw â gwellt, gydag ychydig o wyn yma ac acw. Gwyddai Grasi mai hwn oedd y dyn, yr un a ddisgrifiwyd gan Gilbert Smyth a Giles Lukas, y ddau gwnstabl llwgr. Hwn hefyd oedd y dyn a ddisgrifiwyd gan y pysgotwr Roger Ash oedd wedi bod yn smyglo papurau ar ran John Turner, yr ysbïwr yn Neuadd y Ddinas.

Symudodd y forwyn rhwng y bobl oedd yn edrych ar yr esgidiau a'r rhai oedd yn edmygu'r hetiau newydd nes ei bod hi'n wynebu'r dyn ag un fraich.

'Can I help you, miss?' Holodd yn ddidaro, ei acen yn dweud ei fod wedi'i fagu rhywle i'r gogledd, Charleston o bosib.

'Gobeithio, syr,' atebodd y forwyn, yn ceisio moesymgrymu rhyw ychydig er gwaethaf gwasgfa'r dorf y tu ôl iddi. 'Roedd fy niweddar dad yn hoff o siarad am un o'i ffrindiau gorau ers talm, ac roedd yn disgrifio rhywun yn debyg iawn i chi.'

'Wel, fy merch i,' atebodd yn araf, ei lygaid yn cribinio'r dorf y tu ôl iddi'n nerfus, 'mae'n annhebygol iawn mai y fi yw'r dyn hwnnw. Dwi ddim yn byw yn Safana, gwel di. Dwi 'mond yn ymweld â'r ddinas am ddiwrnod neu ddau.'

'Ond doedd fy nhad ddim o Safana chwaith, syr.'

'O'r gorau, o'r gorau.' Cododd ei law at ei wyneb a thynnu

ar ei locsyn, ei lygaid yn symud yn ôl ac ymlaen, yn astudio'r bobl yn y neuadd y tu ôl i'r ferch. Edrychodd arni'n frysiog, ei lygaid yn culhau. 'Wel, ferch, ddywedodd dy dad beth oedd enw'i ffrind? Neu, hwyrach, beth oedd enw dy dad? Os wyt ti'n gallu –'

'Galla i'ch helpu chi,' meddai Warri Jekri, yn gwasgu ymlaen wrth i Grasi blygu a diflannu o dan fwrdd yr hetiwr. Cododd hi eto o flaen y bwrdd, yn anwybyddu'r wraig a ddywedodd *such stunts are not lady like, you know*', a symudodd mor gyflym â phosib i'r drws mawr agored ym mhen arall Tŷ'r Farchnad.

Safai hi yn ymyl cornel yr adeilad, ei boned yn cysgodi'i llygaid rhag yr haul. Gwyddai y byddai'n cymryd tipyn o amser i'r tri dyn symud gyda'i gilydd trwy'r dorf, ond ni fu'n rhaid iddi aros yn rhy hir. Dyna lle oeddyn nhw, Warri Jekri'n cerdded â'i fraich o gwmpas ysgwydd y dyn ac yn siarad yn egnïol ag o, fel pe bai'r ddau'n hen gyfeillion oedd newydd daro ar draws ei gilydd, ac Eachann Mòr yn cerdded yn union y tu ôl iddyn nhw. Gwyddai hefyd y byddai un o'r ddau wedi cosi asennau'r dyn â chyllell er mwyn sicrhau'i fod yn symud yn ddidrafferth. Y tro hwn, Grasi oedd yn dilyn y dynion, y forwyn yn troi'i phen bob hyn a hyn, ei llygaid yn craffu'n barhaus yng nghysgod y foned er mwyn sicrhau nad oedd neb arall yn eu dilyn nhw.

Gadawodd y triawd y sgwâr a dechrau cerdded i'r de ar hyd Stryd Barnard, y forwyn yn eu dilyn o bell. Ymlaen â nhw ar draws Sgwâr Sant Siâms wedyn, cnwd bach o bobl gyfoethog eu golwg oedd yn bwyta picnic yng nghysgodion y coed mawr yn codi'u pennau ac yn gwenu ar y tri – cyn-filwyr yn ymgolli mewn aduniad annisgwyl o bosib, neu gapten llong a chwpl o'i hen gyfeillion yn mwynhau diwrnod yn y ddinas – wrth iddyn nhw gerdded heibio iddyn nhw. Ymlaen eto ar Stryd

Barnard am un bloc arall, ac wedyn trodd y tri dyn i'r chwith ar Lôn Broton, Warri Jekri'n parhau i sariad yn fywiog ac yn gyfeillgar â'i gydymaith. Dilynodd y forwyn, ei basged yn wag o hyd a'i phen yn troi bob hyn a hyn. Arafodd y dynion cyn croesi Stryd Whitaker ac felly daeth y forwyn ychydig yn nes atyn nhw, ond cyn hir roedd y grŵp bach yn symud i lawr Lôn Broton eto. Nid oedd neb o gwmpas, ac felly heb oedi na rhagor o siarad, camodd Eachann Mòr o flaen y ddau arall ac agor drws.

Er ei fod yn ymddangos fel drws blaen tŷ arall, drws cefn tŷ mawr Fearchar MacGilleBhràth ydoedd mewn gwirionedd. Ac felly nid yn seleri'r Stordy ond yn seler cartref Cadeirydd Cyngor Safana y byddai'r dyn hwn yn cael ei holi. Cyn hir, roedd y dyn yn eistedd mewn cadair mewn ystafell foel heb ffenestri, gyda Warri Jekri ac Eachann Mòr yn sefyll o'i flaen a Grasi a pherchennog y tŷ yn eistedd ar fainc fach yn ymyl y wal gyferbyn.

'I see by your scars that you've been a soldier as well,' dywedodd y dyn wrth Warri Jekri. Trodd i edrych ar Eachann Mòr. 'I lost my arm in the service of the King.' Edrychodd ar Fearchar MacGilleBhràth wedyn. 'Yn ymladd yn erbyn Sbaen.' Ceisiodd wenu. 'Mi fu llawer ohonoch chi, ddynion Georgia, yn ymladd efo ni yn erbyn y Sbaenwyr yn Fflorida.'

'Gwir,' meddai Eachann Mòr, yn croesi'i freichiau cyhyrog ar draws ei frest lydan. 'Ond bu rhai ohonon ni'n ymladd *yn erbyn* dy frenin yn ôl yn yr Hen Wlad hefyd.'

'I see by your accent,' meddai, y chwys yn gwlychu'i wyneb, 'mai Albanwr ydych chi. Ucheldirwr, hyd yn oed, ar fy llw. Does dim milwyr gwell na'r Albanwyr, a'r Ucheldirwyr yw'r gorau o'r Albanwyr. Pobl ddewr! Dynion cryf! Does neb yn debyg i –'

'Ie wir.' Camodd Eachann Mòr ymlaen a phlygu drosto
nes bod ei lygaid lai na chwe modfedd o lygaid y dyn. 'Ac os
nad wyt ti'n dweud popeth wrtha i rŵan, bydd yr Ucheldirwr
cryf hwn yn rhwygo dy fraich arall i ffwrdd.' Safodd eto, yn
gwneud dwrn o'r naill law a'i daro gyda chelp ar gledr ei law
arall. 'Ond, hwyrach, mi ga i ychydig o hwyl yn ad-drefnu dy
wyneb cyn hynny.' Gwelwodd y dyn a dechreuodd ei wefus
isaf grynu, fel plentyn ar fin wylo. Gwyliodd Grasi'r cyfan
yn dawel, ei wyneb hi'n gwbl ddifynegiant. Mae ymddygiad
didrugaredd a rheswm oeraidd yn esgor ar lwyddiant, meddai
wrthi hi'i hun, yn gwrthod agor drws ei chalon i gydymdeimlo
â'r dyn hwn.

Ni fu'n rhaid i Eachann Mòr osod cymaint ag un bys arno.
Siaradodd yn rhwydd wedyn. Atebodd eu holl gwestiynau, yn
oedi'n achlysurol er mwyn gofyn iddyn nhw addo na fyddai'n
cael ei ladd, cyn ymdaflu eto i'w lifeiriant hir o gyffes.

Arnold Proctor oedd ei enw ac roedd yn enedigol o
Charleston. Ers colli'i fraich yn y rhyfel â Sbaen, roedd wedi'i
gyflogi gan Lachlan McIntosh, dyn yr oedd yn ei barchu'n
fawr. Bu'r ddau'n cydwasanaethu ym milisia De Carolina ar yr
ynysoedd ac yn Fflorida.

'I remember you two,' meddai wedyn, yn codi'i law i gyfeirio
at Eachann ac wedyn at Fearchar MacGilleBhràth. 'At the seige
of St Augustine. We were on the same side then.'

'Ac mae'n anffodus nad wyt ti ar yr un ochr â ni rŵan,'
meddai Eachann Mòr, yn pwyso ymlaen ychydig. Dechreuodd
Arnold Proctor siarad eto, yn egluro bod Capten McIntosh, fel
y'i galwai, wedi gofyn iddo wneud y gwaith hwn yn Safana.

'Dwi'n defnyddio'r fferi i groesi'r afon o Dde Carolina bob
pythefnos, a dwi'n cyfarfod â'r tri yn Neuadd y Farchnad tua'r
un amser.'

'Y tri?' Sgyrnygodd Eachann Mòr.

'Ie. Y ddau gwnstabl a'r pysgotwr.'

'Eu henwau?'

'Dwi ddim yn gwybod.' Tynnodd yr Ucheldirwr mawr ei law yn ôl fel pe bai am daro'r dyn yn ei wyneb. 'Wir i chi!' Dechreuodd igian crio. 'Dwi'n dweud y gwir. Doedd dim rhaid i mi wybod eu henwau. Dim ond rhoi'r arian iddyn nhw bob pythefnos a gwneud trefniadau.' Pan welodd fod y dyn mawr yn dechrau codi'i law eto, siaradodd yn gyflym iawn, yn baglu dros ei eiriau. 'Yr un fath, yr un fath bob tro gyda'r pysgotwr. Roedd yn gosod y papurau mewn cawell cimychod, un sy'n sownd wrth fwi ar ochr De Carolina i'r aber.'

'A'r ddau gwnstabl?'

'Ychydig o roi a derbyn yn eu hachos nhw. Nhw'n rhoi copi o'u rota gwaith i mi a minnau'n rhoi'r arian iddyn nhw.'

'A'r lladron dynion?'

'Wn i ddim.'

'Y lladron dynion?' Rhuodd Eachann Mòr, a bu bron i'r dyn syrthio oddi ar ei gadair. 'Pwy ydyn nhw?' Cododd ei law. 'Sut maen nhw'n cael eu hysglyfaeth allan o'r ddinas? Sut maen nhw'n llwyddo i gipio dynion mor gryf heb adael olion cwffas?'

'Wir... wir... wir!' Roedd Arnold Proctor yn crio ac yn pesychu ar yr un pryd, ei lygaid ar y bawen o law a oedd yn hofran yn yr awyr. 'Dwi ddim yn gwybod dim byd am y pethau yna.' Aeth y llaw fymryn yn uwch, yn barod i daro. 'Ar fy llw!' Gwichiodd. 'Dydi Capten McIntosh ddim yn rhannu'i holl gynlluniau efo fi.'

'Ond dach chi'n hen filwyr. Hen gyd-filwyr. *Comrades*. Pam na fyddai'n ymddiried ynot ti?'

'Mae'n ymddiried ynof i wneud y gwaith y mae'n gofyn i

mi ei wneud. Ond mae'n saffach peidio â dweud popeth wrth bawb. Rhag ofn.'

'Rhag ofn beth?'

'Rhag ofn bod pobl fatha chi yn fy nal i!'

'Rwy'n ei gredu.' Llais Fearchar MacGilleBhràth. Gostyngodd Eachann Mòr ei law. Safodd yr Ucheldirwr arall, yn ysgubo cudyn hir o'i wallt coch a gwyn y tu ôl i'w glust wrth iddo gerdded yn araf iawn at ei garcharor.

'You tell us, then, Mister Proctor, what you know about other people doing other jobs for your Captain McIntosh.' Dywedodd clustiau craff Grasi fod ei acen Albanaidd yn gryfach nag arfer, a rholiodd bob *r* yn enw'r dyn er mwyn ei llusgo allan mewn modd a oedd yn goeglyd ac yn fygythiol ar yr un pryd.

'Mae'r Capten yn fy nghadw i ar wahân i'r lleill. Ar fy llw! Mae'n cyfarfod â gwahanol bobl mewn gwahanol leoedd. Does gen i ddim syniad pwy yw'r lladron dynion. Dydi o ddim o bwys i mi. Dwi ddim yn berchen ar yr un caethwas. Does neb yn fy nheulu'n berchen ar yr un caethwas, ar fy llw.'

'Ond mae dy feistr yn berchen ar lawer iawn o gaethweision.' Dyna'r tro cyntaf i Warri Jekri siarad ers iddyn nhw gyrraedd y seler. Roedd yn anwesu'r graith hir ar ei foch ag un bys. 'Mae llawer iawn o ddioddefaint ar blanhigfa Lachlan McIntosh.' Aeth ei law at ei wregys a phwyso ar garn ei gyllell hir. 'Ac os wyt ti'n derbyn arian McIntosh, rwyt ti'n derbyn arian gwaed. Mae caethwasiaeth yn sail i'w gyfoeth.' Agorodd Arnold Proctor ei geg ond symudodd ei wefusau heb siarad, y geiriau'n methu.

'Felly,' sgyrnygodd Eachann Mòr arno, 'dywed bopeth wrthon ni os wyt ti eisiau osgoi cosb y rhai sy'n derbyn arian gwaed.'

'Ond does gen i ddim byd arall i'w ddweud.' Wylodd yn hidl, ei ben yn ysgwyd. 'Dwi wedi dweud popeth wrthoch chi, wir.'

'Gwranda,' meddai Fearchar MacGilleBhràth, ei lais yn debycach i riant caredig bellach, 'gwna restr o bawb rwyt ti wedi'u gweld yng nghwmni McIntosh. Dyna'r cwbl. Rhestru'r enwau, eu disgrifio os nad wyt ti'n gwybod eu henwau. Gwna hynny ac mi gei di orffwys.' Aeth yr Ucheldirwr yn ôl i eistedd yn ymyl Grasi, ac mi gododd hithau'r offer ysgrifennu a oedd wedi'u gosod ar y fainc ar ei chyfer yn gynharach. Bu wrthi am beth amser yn ysgrifennu'r holl enwau a'r holl fanylion wrth i Arnold Proctor siarad a siarad a siarad. Gwyddai Grasi y gallai hi gofio'r cyfan heb nodiadau, ac aeth y rhestr yn ei phen yn faith. Roedd nifer o weinidogion Methodistaidd ar y rhestr, pob un yn aelod o Synod Methodistaidd America, yr un a arweinid gan George Whitefield. Roedd nifer o asiantau a swyddogion brenin Lloegr arni hefyd. Ac yn olaf, roedd ymwelydd o Virginia a gafodd ei groesawu yng nghhartref y Capten McIntosh yn ddiweddar, Cymro o'r enw Goronwy Owen.

Gadawodd Fearchar MacGilleBhràth a Grasi yr ystafell fach yn y seler, yn gadael Eachann Mòr a Warri Jekri i ofalu am y carcharor.

'*Lachlann Mac An Toisich,*' ochneidiodd yr Ucheldirwr wrth i Grasi ei ddilyn i fyny'r grisiau. '*An duine sin.*' Gwyddai Grasi fod hanes 'y dyn hwnnw' wedi'i blethu â'i hanes o.

*

Roedd hanes y Capten Lachlan McIntosh wedi'i blethu ychydig â hanes Grasi hithau hefyd. Clywodd yr enw am y tro cyntaf pan oedd hi'n ferch ym Methesda, a hynny trwy glustfeinio ar athro a oedd yn dweud y drefn wrth un o'r bechgyn hŷn.

'Rhaid i ti geisio'n galetach! Gwn fod gen ti hen ddigon o allu, ond mae ôl diogi ar dy waith dosbarth. Gall bachgen o Fethesda fynd yn bell iawn yn y byd hwn. Dyna hanes yr enwog Gapten McIntosh, er enghraifft. Daeth yma i'r cartref hwn pan fu farw'i dad, a dyma fo rŵan ymysg dynion cyfoethocaf De Carolina!'

Yn weddol fuan ar ôl iddi ymuno â'r Gwasanaeth, cafodd Grasi wahoddiad i fynychu cyfarfod o Gyngor Safana am y tro cyntaf. Cododd enw John McIntosh.

'*An duine sin,*' ochneidiodd y Cadeirydd yn drist, rhywbeth yn debyg i alar ar ei wyneb. Ar ôl ennyd o dawelwch anghyfforddus, siaradodd Senauki â Grasi, yn defnyddio'i mamiaith hi.

'*Henka,*' meddai, 'ie, mae'r dyn hwnnw'n bwnc poenus iddo.' Ysgydwodd Fearchar MacGilleBhràth ei ben a siaradodd yn Saesneg.

'Maddeuwch i mi. Does dim byd na fedrwn ei drafod yn y Cyngor hwn.' Hoeliodd ei lygaid ar Grasi. 'Beth a wyddost am Lachlan McIntosh?'

'Wel, nid llawer.' Dim ond dwy ar bymtheg oed oedd Grasi ar y pryd, ac roedd hi'n dal ychydig yn ansicr o flaen y casgliad hwnnw o bobl bwysig, ond roedd Senauki'n edrych arni, yn ei hannog â'i llygaid i barhau. 'Bu'n blentyn yng nghartref Bethesda. Roedd wedi hen ymadael cyn fy amser i, ond clywais ei enw lawer gwaith. Bu'n swyddog ym myddin Lloegr. Mae'n ddyn cyfoethog yn Ne Carolina bellach ac yn berchen ar lawer o gaethweision.'

'*Aye,*' ategodd Amos Hawkins, '*and you should know a litte of his history. It's a delicate subject, but you should know it. You see –*'

'That's all right, Amos.' Plygodd Fearchar MacGilleBhràth yn nes at y capten llong a'i bwnio'n chwareus ar ei ysgwydd. 'Fi ddylai oleuo'r hogan ynglŷn â'r hanes.' Edrychodd ar Grasi. Nid oedd y gwyn wedi dechrau britho'i wallt a'i farf goch eto, ond roedd rhywbeth yn ei lygaid a wnâi iddo ymddangos yn hŷn. Anadlodd yn ddwfn a dechreuodd siarad.

'Roeddwn i'n adnabod tad Lachlan McIntosh yn dda ac yn ei edmygu'n fawr. John McIntosh oedd o i'r Saeson, ond Seamus Mòr Mac An Toísich oedd o i mi. Roedd ymysg yr Ucheldirwyr a ddaeth yma ar gais James Oglethorpe yn ôl yn 1736, y rhai a sefydlodd gymuned Darien. Roedd ei enw'n gyfarwydd i mi pan oeddwn i'n hogyn yn yr Hen Wlad. Milwr enwog oedd o, un a enillodd ddiolch brenin Lloegr yn y rhyfeloedd yn erbyn Sbaen. Dyn o egwyddor hefyd, un a wrthwynebai gaethwasiaeth yn chwyrn. Enillodd ddiolch y Cadfridog Oglethorpe trwy ymdrechu'n galed i sicrhau bod Georgia'n parhau'n drefedigaeth rydd yn ystod y blynyddoedd cynnar hynny.'

Seibiodd a chrwydrodd ei lygaid i gyfeiriad yr arfau uwchben y lle tân, y mwsged, y ddau bistol, a chleddyf nodweddiadol yr Ucheldirwyr, y *claidheamh-mòr*. Dechreuodd siarad eto, ei lygaid ar yr arfau o hyd.

'Pan oeddwn i'n ddyn ifanc yn yr Hen Wlad, codais fy arfau yn erbyn y dyn a oedd yn ei alw'i hun yn frenin Lloegr ac es i ryfel er mwyn ceisio sicrhau rhyddid fy mhobl.' Edrychodd ar Grasi eto. 'Ar ôl cyflafan brwydr Culloden, penderfynais ffoi. Croesais i'r môr a ches i groeso gan Ucheldirwyr Darien yma yn Georgia. Bu Seamus Mòr Mac An Toísich yn ail dad i mi. Er bod ymladd ochr yn ochr â'r fyddin y bûm yn ymladd yn ei herbyn hi yn yr Hen Wlad yn beth atgas i mi ar y dechrau, darbwyllodd Seamus Mòr fi y dylwn ymuno â milisia Georgia.

Dangosodd i mi fod gwasanaethu'r Goron yn y modd hwnnw'n gallu helpu i sicrhau bod brenin Lloegr a'i lywodraeth yn parhau i barchu siartar a chyfreithiau Georgia a chadw'r tir hwn yn rhydd o ormes caethwasiaeth. Felly codais fy arfau eto a dilyn Seamus Mòr Mac An Toísich i ryfel yn erbyn y Sbaenwyr yn Fflorida ac ar yr ynysoedd.'

Cododd o'i gadair, yr hanes a adroddai'n ei gynhyrfu, a dechreuodd gerdded o gwmpas yr ystafell.

'Lladdwyd Seamus Mòr Mac An Toísich yn un o'r brwydrau hynny â'r Sbaenwyr a chymerwyd ei fab Lachlan i'r cartref ar gyfer plant amddifaid ym Methesda. Gwyddwn y dylwn ei fabwysiadu, ceisio bod yn dad iddo a'i helpu trwy fywyd, fel yr oedd ei dad yntau wedi fy helpu innau. Ond roeddwn i'n byw bywyd milwr, yn teithio o le i le o hyd ac yn gwybod y gallwn gael fy lladd unrhyw bryd.' Dechreuodd ei lais dorri. Roedd yn sefyll o flaen y lle tân erbyn hyn a throdd i'w wynebu. 'Doedd gen i ddim cartref i gynnig i hogyn.' Seibiodd, a sylwodd Grasi ei fod wedi codi llaw at ei wyneb. 'Dim modd o'i fagu'n iawn.'

'Ac felly daeth o dan ddylanwad y Parchedig George Whitefield ym Methesda.' A hithau wedi canfod gweddill y stori, siaradodd Grasi er mwyn arbed rhagor o embaras i'r dyn balch. 'Pan adawodd y cartref, trefnodd Mister Whitefield iddo gael ei gomisiynu'n swyddog ym myddin brenin Lloegr.' Meddyliodd am eiliad, yn ymestyn yn ei chof am dameidiau o hanes a glywsai ym Methesda. 'Ymddeolodd yn ifanc o'i yrfa filwrol, a threfnodd Mister Whitefield swydd dda iddo yn Ne Carolina.'

'Ie.' Roedd Warri Jekri yn amneidio'n frwd, ei lais yn trin yr hanes fel tystiolaeth ddamniol yn hytrach na stori drist. 'Gydag un o gyfeillion Whitefield, Henry Laurens, dyn a aeth yn gyfoethog iawn oherwydd ei fasnach mewn caethweision. Ac felly cyn hir roedd Lachlan McIntosh yn ddyn cyfoethog hefyd, yn berchen ar blanhigfa fawr yn Ne Carolina ac yn berchen hefyd ar rai cannoedd o gaethweision.'

'Yo, take.' Siaradodd Perla Sheftall, yn dod â'r stori i ben mewn modd a oedd bron yn ddefodol. 'Ac felly aeth mab y dyn a fu'n gyfaill ac yn arwr i Fearchar MacGilleBhràth yn elyn iddo fo, ac aeth mab un o gyfeillion pennaf rhyddid yn America yn ddyn sy'n pesgi ar gaethwasiaeth.'

*

'Dydi o ddim yn syndod clywed bod Lachlan McIntosh ynghlwm wrth hyn,' meddai Fearchar MacGilleBhràth wrth Grasi ar ôl iddyn nhw gyrraedd pen y grisiau. Agorodd y drws a oedd wedi'i guddio ar yr ochr allanol gan un o dapestrïau moethus y cyntedd hir. Yno i'r dde oedd y drws a agorai ar ystafell gyfarfod Cyngor Safana. Ym mhen pellaf y cyntedd safai Aonghas, nai Eachann Mòr, yn ymyl y drws mawr coch. Nid oedd mor dal â'i ewythr, ond roedd ganddo'r un ysgwyddau llydan a'r un llwyn o farf ddu yn cuddio hanner isaf ei wyneb. Ond yn wahanol i frawd mawr ei fam, roedd gan Aonghas Òg wallt ar ei ben, yr un lliw â'i farf.

Caeodd Fearchar MacGilleBhràth y drws yn ofalus, yn sicrhau bod y tapestri'n disgyn yn dwt i'r llawr ac yn ei guddio'n gyfan gwbl. Safodd yno, yn astudio'r patrwm a oedd wedi'i wnïo gydag edau foethus ym mrodwaith y defnydd. Roedd pen carw gyda llygaid dynol yn syllu trwy ddail sgleiniog, blodau coch a melyn yn hongian yn y canghennau uwch ei ben, ac roedd Cadeirydd Cyngor Safana fel pe bai'n ceisio darllen rhywbeth yn y llygaid disymud hynny.

'Mae Lachlan McIntosh yn gyfarwydd iawn â Safana,' meddai, yn troi er mwyn wynebu Grasi. 'Ac mae ganddo ddigon o gyfoeth i ariannu menter o'r fath. Ai llwgrwobrwyo pobl yma yn Georgia oedd ei brif waith, tybed? Ydi o'n gyfrifol am drefnu gwaith y lladron dynion hefyd?'

'Mae'n bosib,' cynigiodd Grasi. 'Mae'n gyn-swyddog yn y fyddin, yn ddyn sydd yn gwybod sut i orchymyn dynion eraill.'

'Ac mae'n gwybod sut i lunio cyrchoedd. Ac fel y dywedais i, mae'n gyfarwydd iawn â'r ardal. Mae'n enedigol o Georgia.' Ysgydwodd ei ben, cudyn o wallt cyrliog hir yn disgyn o flaen un llygaid.

'Ond eto, wn i ddim.' Cododd ei law a gwthio'r gwallt y tu ôl i'w glust. 'Dim ond rhan fach iawn o gynlluniau'r gelyn yw gwaith y lladron dynion. Mae rhyfel ar y ffordd, rhaid i ni gofio hynny. Ac mae Lachlan McIntosh wedi bod yn gapten ym myddin y Goron. Dywedwn i ei fod yn defnyddio'i brofiad milwrol ar gyfer dibenion eraill ar hyn o bryd, a bod un arall o hyrwyddwyr caethiwed y tu ôl i waith y lladron dynion. Rhywun sydd efallai'n fwy cyfrwys. Rhywun sydd –'

Clec, clec, clec! Curiadau, yn gwneud drwm o bren y drws. Gwyliodd y ddau wrth i Aonghas Òg agor y drws mawr coch. Ac wedyn dyna lle oedd Toonahowi a rhywun arall yn sefyll yno yn y cyntedd, dyn ifanc o'r enw Yaholo a oedd yn perthyn i Grasi o bell. Er bod y ddau'n anadlu'n drwm, roedd golwg fwy blinedig ar Yaholo, ac roedd ei wyneb yn wlyb gan chwys. Gwisgai'r arweinydd glogyn lliwgar a'r dyn ifanc glogyn brown diaddurn; roedd cyllell a bwyell ryfel fach i'w gweld ar wregys pob un ond byddai'r dilledyn hir wedi'i ddefnyddio i guddio'r arfau yn ystod eu taith trwy'r ddinas.

'Rydyn ni wedi'u dal,' datganodd Toonahowi yn Saesneg. Cododd law a'i gosod yn dadol ar ysgwydd y dyn ifanc. 'Yaholo oedd yn arwain y fintai a'u daliodd. Ei fraint ef yw adrodd yr hanes.'

'Henka,' meddai Yaholo, yn dal ei wynt ac efallai'n chwilio am y geiriau Saesneg. 'We were five,' meddai, 'tri ohonon ni a dau ddyn o batrôl Warri Jekri.' Aeth ymlaen, gydag ambell air Mvkoke yn britho'i Saesneg, yn disgrifio'r helfa. 'Er eu bod wedi achub y blaen arnon ni roeddyn nhw'n symud yn arafach gan eu bod mewn wagen. Ie, roedd olion ar y lôn ble darganfuwyd Martin yn dangos yn glir bod y rhai a fuasai'n ymladd ag o wedi ymadael mewn wagen. Un o'r cerbydau sy'n cludo golosg ydoedd, a'r dynion a gipiwyd wedi'u cuddio yn y cefn o dan haen o'r sylwedd du.' Edrychodd ar Toonahowi, ond amneidiodd yr arweinydd, yn annog Yaholo i orffen ei stori. Cliriodd ei wddwf, a siarad eto.

'Llwyddon ni i'w dal cyn iddyn nhw groesi'r afon i Dde Carolina. Bu bron iawn iddyn nhw gyrraedd y fferi ger Ebenezer, ond doeddyn nhw ddim yn ddigon cyflym.' Pylodd yr olwg falch ar wyneb y dyn ifanc ychydig. 'Ein bwriad oedd eu dal yn fyw, ond methon ni wneud hynny. Roedd tri ohonyn nhw, ac ymladdodd y tri hyd at farwolaeth.'

'Glwyfwyd rhai o'n dynion ni?' holodd Fearchar MacGilleBhràth wrth iddo gamu at Yaholo.

'Naddo.'

'O'r gorau.' Cydiodd yn llaw'r dyn ifanc a'i hysgwyd yn egnïol. 'Llongyfarchiadau. A diolch.' Gosododd ei law ar ysgwydd Toonahowi wedyn. 'Wnewch chi ddim fy nghredu i, ond roedden ni wrthi'n trafod y lladron dynion pan gyrhaeddoch chi.'

'Dwi'n dy gredu,' atebodd ei gyfaill. 'Mae gormod o siarad yn y Cyngor am y lladron dyion y dyddiau hyn.' Edrychodd yn frysiog ar Yaholo cyn hoelio Cadeirydd y Cyngor â'i lygaid eto. 'Gwranda. Gan fod y tri wedi'u lladd does dim modd gwybod pwy oeddyn nhw.'

'Dynion gwyn,' nododd Yaholo. 'Un canol oed a'r ddau arall yn iau. Dim byd neilltuol am eu pryd a'u gwedd. Roedd eu gwisg yn syml.'

'Ond mae un darganfyddiad pwysig,' ychwanegodd Toonahowi.

'Oes, oes.' Edrychodd y dyn ifanc ar Fearchar MacGilleBhràth. 'Arfau cyffredin oedd ganddyn nhw – pistolau a chyllyll – ond roedd ganddyn nhw ryw bethau eraill wedi'u cuddio yn y wagen.' Oedodd, yn chwilio am y geiriau. 'Offer o ryw fath. Teclynnau metel a gwydr. Pethau nad wyf wedi gweld eu bath erioed o'r blaen. Ond ces i'r teimlad mai arfau o ryw fath oeddyn nhw.'

'Bydd deall y teclynnau rhyfedd hyn,' meddai Toonahowi, 'yn ein helpu i ddeall sut mae'r diawliaid wedi bod yn cipio dynion cryf heb orfod ymladd â nhw.'

'A beth am Mani Alton a'i fab Viribus?' holodd Fearchar MacGilleBhràth, yn cyfeirio at y ddau ddyn a oedd wedi'u cipio gan y rhai a laddwyd gan Yaholo a'i gymdeithion.

'Mae'r ddau'n fyw,' meddai Toonahowi, 'ac yn saff yn ein pentref ni.'

'Ond,' ychwanegodd Yaholo, 'mae'n anodd cael synnwyr ohonyn nhw. Maen nhw'n hanner cysgu, yn debyg i bobl sydd wedi meddwi'n ofnadwy.'

'Mae hynny'n ddigon i mi,' meddai Grasi, yn dechrau symud. 'Gwn i beth fydd fy ngham nesaf.' Siaradodd dros ei hysgwydd wrth iddi gerdded ar hyd y cyntedd. 'Dwi am ymweld â gwersyllfa'r golosgwyr.' Agorodd Aonghas Òg y drws iddi, heulwen y prynhawn yn gwneud silowét ohoni wrth iddi gamu dros y rhiniog.

Y Golosgwyr

ROEDD Y LÔN o Safana i Rincon yn gymharol brysur y diwrnod hwnnw, gyda chertiau'n cludo cnydau'r hydref i'r ddinas ac ambell wagen yn mynd â golosg i'r un cyfeiriad. Ond teithio i'r cyfeiriad arall oedd Jacob Bernal, yn gyrru wagen wag yr oedd wedi'i llogi yn Stabl Broton. Un o weithwyr Distyllty Zadoc oedd Jacob, ac roedd yn gobeithio dychwelyd â'i lwyth o olosg cyn y machlud, ond roedd yn ddeg milltir un ffordd, a byddai'r ddeg milltir yn ôl gyda wagen lawn yn daith araf. Ond dyn caredig oedd Jacob Bernal, a phan ddaeth at y llanc yn cerdded ar hyd y lôn lychlyd, arafodd y ceffylau er mwyn siarad ag o. Roedd wedi gweld y bachgen o gwmpas y ddinas, yn gofyn am fwyd neu'n begian am ychydig o geiniogau ar y stryd, ond nid oedd wedi'i weld y tu allan i Safana o'r blaen.

'Mae'n fore braf,' galwodd yn Saesneg o sêt y wagen.

'Ydi,' atebodd y llanc, yn parhau i gerdded yn bwrpasol i gyfeiriad Port Wentworth a Rincon. Edrychodd yn frysiog ar y dyn yn y cerbyd. 'Mae'n fore braf i chwilio am waith.'

'Ie wir. Ond mae yna fwy o gyfle yn y ddinas na'r wlad, dywedwn i. Byddwn i'n holi ar y dociau. Does dim digon o gludwyr ar y Strand fel rheol.'

'Diolch,' meddai'r llanc, 'ond dwi'n gwybod beth dwi'n ei wneud.'

'Wyt ti?!'

'Yndw. Clywais fod gwaith yng ngwersyllfa'r golosgwyr. Wyddoch chi, y wersyllfa yn y goedwig rhwng Port Wentworth a Rincon.'

'Wo-o-o!' Tynnodd Jacob Bernal ar yr awenau a galwodd ar y ceffylau er mwyn stopio'r wagen. 'Wel, rwyt ti'n lwcus heddiw, 'nghyfaill ifanc i. Dw innau ar fy ffordd i'r union le hwnnw. Tyrd! Dringa i fyny.'

Ac felly teithiodd y llanc a oedd wedi arfer gofyn cardod ar strydoedd Safana weddill y ffordd gyda Jacob Bernal. Siaradodd y ddau gydol yr amser. Eglurodd Jacob ei waith yn y distyllty.

'Weithiau dwi'n mynd â cheffylau a chert Zadoc i'r Strand i nôl casgenni o driog ac weithiau dwi'n llogi'r wagen fudr hon er mwyn cyrchu llwyth o olosg. Y naill ar gyfer un pen y distyllty a'r llall ar gyfer y pen arall.' Synnodd y llanc fod rym yn cael ei ddistyllu o driog gan roi cyfle arall i Jacob ei oleuo.

'Triog yw man cychwyn ein rym tywyll ni. Ond mae rhai'n gwneud rym yn syth o'r cansenni siwgr. Mae rym o'r math yna yn fwy golau.' Chwarddodd. 'Ac nid yw cymaint at fy nant i.'

Clonciodd y wagen heibio llwybr a arweiniai trwy goed trwchus ar y dde. Byddai Grasi wedi dewis y llwybr hwnnw ac ymweld â'i chyn-gartref ym mhentref y Mvskoke ar lan yr afon. Ond ni sylwodd y llanc o Safana ar y llwybr; roedd wedi ymgolli yn ei sgwrs â Jacob Bernal ac yn mwynhau'r ffaith ei fod yn teithio ar sêt flaen wagen am unwaith yn hytrach na cherdded y lonydd llychlyd yn ei esgidiau rhacsiog.

Ar gyrraedd y groesffordd, cododd Jacob a chyfeirio at y lôn ar y dde.

'Port Wentworth,' meddai. 'I lawr fan'na.' Chwipiodd yr

awenau ychydig, yn annog y ceffylau i symud ymlaen. 'Os nad oes gwaith i ti yn y wersyllfa ac os nad oes gen ti awydd mynd yn ôl i Safana, dylet ti drio dy lwc yn fan'na. Mae yna fynd ar fferi Port Wentworth y dyddiau hyn ac mae'r pentref yn tyfu'n gyflym.'

Gan ei fod mor gyfforddus yng nghwmni'r gyrrwr cyfeillgar, mentrodd y llanc ei holi ychydig am ei deulu. Eglurodd Jacob Bernal mai Iddewon Seffardig oedd ei deulu, fel y rhan fwyaf o Iddewon Safana.

'I'm native born,' meddai'n falch, 'wedi 'ngeni a'm magu yn Safana. Plant bach oedd fy rhieni'n dod yma. Cafodd y ddau eu geni yn Llundain, gan fod eu rhieni nhwythau wedi ffoi i Loegr o Sbaen a Phortiwgal.' Disgrifiodd fel y bu'n rhaid iddyn nhw ddianc ar hyd yr union lôn hon i Rincon pan oedd o'n blentyn bach gan fod llongau rhyfel Sbaen yn rheibio arfordir Georgia.

'Mae'r Sbaenwyr yn trin Iddewon o Sbaen fel apostatiaid.'

'Beth yw hynny?' holodd y llanc; gallai drafod materion y strydoedd a'r dociau gyda geirfa eang ond nid oedd wedi derbyn llawer o addysg grefyddol.

'Gwrthgilwyr crefyddol.'

'A beth mae hynny'n ei feddwl?'

'Mae'n meddwl y byddai'r Sbaenwyr yn ein clymu ni wrth byst a'n llosgi'n fyw.'

'Dwi'n falch na lwyddodd y Sbaenwyr i'ch dal chi.'

'A finnau!' Chwarddodd Jacob Bernal yn uchel. 'Ond doedd o ddim yn hir cyn i lynges y Goron a milisia Georgia eu gyrru o'r drefedigaeth. Wyddost ti mai Iddew yw un o arweinwyr y milisia? Mordecai Sheftall?' Roedd Grasi'n adnabod y dyn yn dda wrth gwrs, ond bu'n rhaid i'r llanc gogio'i fod wedi clywed yr enw unwaith neu ddwy. 'Ond Iddew Ashcenasi yw

Mordecai Sheftall. Mae'n bosib na fyddai'r Sbaenwyr wedi'i losgi'n fyw. Ond pwy a ŵyr?'

Holodd y llanc wedyn a oedd yr Iddewon yn debyg i Gristnogion, yn dadlau ymysg ei gilydd ac yn mynd i addoldai gwahanol. Chwarddodd Jacob Bernal eto,

'Does dim digon ohonon ni i ffraeo ymysg ein gilydd. Mae holl Iddewon Safana'n addoli yn yr un synagog.'

Wrthi'n trafod hanes teulu Jacob a'u cymuned oeddyn nhw o hyd pan ddaethon nhw at y groesffordd cyn Rincon, a chymryd y troad ar y chwith. Plygai'r lôn gul trwy'r goedwig drwchus ac araf oedd y daith, ond cyn hir roedd synau bwyeill ar goed yn datgan eu bod yn agos. Daeth aroglau cyfarwydd i drwyn Grasi hefyd, cymysgedd o bridd a choed a mwg gyda rhywbeth arall a oedd yn rhoi min arno. Daethant at lannerch fawr gydag adwy yn ymddangos bob hyn a hyn o gwmpas ei hymylon; gwyddai Grasi fod y bylchau hyn yn agor ar lwybrau a arweiniai at lennyrch eraill oedd yn cynnwys storfeydd coed, ond roedd y cyfan yn newydd i'r llanc. Roedd hanner dwsin o anheddau mewn clwstwr, rhai'n gabanau pren nad oeddynt yn well na chytiau blêr a rhai oedd yn hanner cwt ac yn hanner pabell, un neu ddwy wal yn bren a'r gweddill yn gymysgedd o oelcloth a chrwyn anifeiliaid. Safai'r domen losg yng nghanol y llannerch fwy neu lai – côn mawr wedi'i orchuddio â phridd, tendriliau bychain o fwg yn codi fel nadroedd llwydwyn yma ac acw ohoni. Roedd un arall wedi'i hanner adeiladu, y coed wedi'u codi'n domen siâp côn yn disgwyl am ei haen o bridd. Roedd tomenni bach eraill o goed yma ac acw hefyd, yn barod ar gyfer y llosgfeydd nesaf. Daeth y lôn amrwd i ben yn ymyl tomen fawr ddu – y golosg oedd yn barod i'w werthu.

Safai un dyn yn ymyl y domen losg, yn pwyso ar raca, ac eisteddai un arall ar fonyn coeden, yn dal coesyn hir pibell glai yn un llaw, yn smocio. Daeth tri dyn arall allan o'r cabanau, yn amlwg wedi clywed y wagen yn cyrraedd. Roedd y dynion fel eu cabanau, yn flêr ac yn fudr ac yn gwisgo cymysgedd o wahanol ddeunyddiau. A hithau'n cofio geiriau Senauki ers talm, chwiliodd Grasi am wyneb Mvskoke yn eu plith, ond roedd pob un o'r dynion hyn o dras Ewropeaidd.

'W-o-o-o!' Tynnodd Jacob Bernal ar yr awenau a neidiodd yn sionc o'i sêt. Cododd y dyn o'i sêt yntau ar y bonyn a cherdded draw ato. Y fo oedd yr hynaf o'r golosgwyr, ei farf yn gymysgedd o frown, gwyn a düwch lludw. Cyfarchodd Jacob y dyn yn siriol ond cyfarthiad swta a gafodd yn ateb, yn holi beth oedd arno'i eisiau. Roedd ei lygaid ar bowlen ei bibell.

'Llond fy wagen o olosg, wrth gwrs. Yn union fel arfer.'

''Dan ni ddim yn derbyn arian papur Georgia, cofia,' meddai'r golosgwr, yn troi'r bibell ben i waered er mwyn cnocio'r lludw allan ohoni gyda chledr ei law. 'Dim ond darnau arian metel o Loegr neu o Sbaen.'

'Wrth gwrs, wrth gwrs,' meddai Jacob, ei lais yn siriol o hyd, a'i law'n mynd yn awgrymog at boced lawn ei gôt. Stwffiodd y dyn goesyn hir y bibell yn ei wregys, fel pe bai'n cadw pistol neu gleddyf.

'Ac mae pris llwyth wagen y maint yna wedi codi hanner swllt ers i ti fod yma ddiwetha.'

'Hanner swllt! Cofia fy mod i'n gweithio i Zadoc Mena, eich cwsmer gorau yn Safana ar ôl y gweithfeydd haearn.'

'Wel,' mwmbliodd y dyn, 'mae llawer o'n golosg yn croesi'r afon y dyddiau hyn. Mae digon o gwsmeriaid yn Ne Carolina hefyd.'

'Ond am hanner swllt byddai'n well i mi yrru ychydig yn bellach a phrynu o wersyllfa arall.' Rhochiodd y dyn, y sŵn gyddfol yn amwys. 'Tyrd i siarad wrth iddyn nhw lwytho'r wagen.' Dechreuodd Jacob arwain y ceffylau, ond trodd er mwyn dweud rhywbeth arall.

'Bu bron iawn i mi anghofio!' Cododd law a'i chwifio'n grand at y llanc mewn dillad carpiog a oedd yn eistedd ar sêt y wagen, fel pe bai'n cyflwyno bonheddwr neu dywysog oedd newydd gyrraedd o wlad bell. 'Mae'r bachgen hwn yn aros gyda chi.'

Roedd dau o'r golosgwyr eraill wedi dod i sefyll y tu ôl i'w pennaeth erbyn hyn, y naill yn ddyn byr ag ysgwyddau llydan iawn a atgoffai Grasi o Amos Hawkins, a'r llall yn dal ac yn denau gyda barf a gwallt hir yn disgyn mewn caglau matiog yn debyg i afr neu ddafad a fu'n hir ar grwydr yn y drysni a'r drain.

'Pam fyddai fo'n aros gyda ni?' holodd y golosgwr hŷn, yn siarad â Jacob ac yn gwneud pwynt o beidio ag edrych ar y bachgen.

'Clywais yn Safana fod gwaith yma,' meddai'r llanc wrth iddo sefyll a neidio i lawr.

'Do wir? Pwy ddywedodd hynny wrtha chdi?'

'Dwi ddim yn gwybod ei enw, ond mae'n was yn un o'r stablau lifrai.'

'Stabl Broton?'

'Nage, un o'r rhai bychain, yn ymyl yr efail ar ben Stryd y Tarw.'

'Rhyfedd. Mae hen ddigon ohonon ni i wneud yr hyn sydd angen ei wneud.' Trodd pennaeth y golosgwyr a cherdded at y domen fawr ddu.

'Croeso i ti ddod yn ôl gyda fi,' cynigiodd Jacob Bernal. 'Gelli di holi am waith ar y Strand yfory. Neu mi gei di drio dy lwc ym Mhort Wentworth.'

Er bod y llanc yn sefyll yn gefnsyth, yn ceisio ymddangos

yn hyderus o flaen y dynion caled hyn, ei ben yn uchel a'i lygaid yn herfeiddiol, roedd Grasi'n edrych yma ac acw o gil ei llygaid, yn ceisio gweld cymaint â phosib ac yn sicrhau y gallai gofio wynebau'r golosgwyr. Nid oedd wagen arall yn y wersyllfa ar hyn o bryd.

'Aros funud,' meddai'r golosgwr byr ag ysgwyddau llydan, un llaw yn cosi'r blewiach ar ei foch fudr. 'Mae 'nghefn wedi dechrau brifo'n ofnadwy yn ddiweddar.'

'Un diog wyt ti, Bob,' meddai'r dyn â gwallt hir caglog, cyn troi a dechrau helpu Jacob i droi'r ceffylau a symud cefn y wagen at y golosg.

'Wyt ti'n weithiwr caled, boi?' Roedd Bob wedi cydio ym mraich y llanc er mwyn ei dywys o'r ffordd wrth i'r ceffylau a'r cerbyd ddechrau symud.

'Yndw. Mi welwch chi.'

'Gwranda. Mi gei di fwyd gen i am yr wythnos gyntaf, tra byddi di wrthi'n dysgu'r gwaith. Wedyn, os na fyddi wedi alaru a'i helgu hi o'ma, ac os wyt ti'n profi'n weithiwr o ryw fath, mi gei di geiniog allan o bob deg dwi'n eu hennill.'

'Ceiniog am bob deg *a bwyd?*' holodd y llanc.

'Ie. Dyna'r cynnig. Ond bydd rhaid i ti adeiladu dy gwt dy hun. Mae'n caban ni'n orlawn.'

Dangosodd Bob y wersyllfa i'r llanc, gan egluro pwy oedd yn cysgu ym mha gaban ac ym mha drefn y dylid defnyddio'r coed wrth law. Roedd wrthi'n defnyddio rhaw i ddangos faint o bridd i'w daenu ar y domen losg newydd pan ddaeth Jacob Bernal draw.

'Mae'r wagen yn llawn ac felly bydd yn rhaid i mi ei throi hi.' Estynnodd law, cydio yn llaw fudr y llanc, a'i hysgwyd yn frwdfrydig. 'Pob lwc i ti!' Gwenodd ar Bob, ond edrychodd y golosgwr i ffwrdd, yn ei anwybyddu. Dringodd Jacob i sêt y cerbyd, galw ar y ceffylau, ac ymadael, y wagen lawn yn cloncian yn drwm wrth iddi ymlwybro o'r llannerch. Er bod y llanc yn weddol ddidaro wrth ffarwelio ag o, gwyddai Grasi y byddai'n gweld eisiau cwmni siriol Jacob Bernal. Ymsythodd y llanc yn falch, yn ceisio dangos ei fod yn barod i gymryd ei le ymysg y golosgwyr, ond casglu'i chryfder mewnol oedd Grasi, yn ymbaratoi ar gyfer noson a allai ddod â digon o beryglon gyda hi.

'Tyrd,' meddai Bob, yn gollwng y rhaw ac yn codi rhaca. 'Mi wna i ddangos i ti sut mae tendio'r domen losg rŵan.' Ac yno y bu'r ddau am weddill y diwrnod, yn sicrhau bod digon o dendrilau mwg gwyn yn codi o'r domen losg ac yn symud ychydig o'r pridd o'i chwmpas er mwyn cynyddu'r gwres neu er mwyn ei ostwng, yn ôl yr angen.

'Dylai'r mwg gwyn droi'n frown yfory. Pan mae'r mwg yn troi'n las, mae'r golosg yn barod,' meddai. Pwysodd Bob ar y rhaca ac edrychodd yn galed ar wyneb y newydd-ddyfodiad. Syllodd y llanc yn ôl ar y dyn yn eofn, ond teimlai Grasi fod cwestiwn annifyr yn dod.

'Beth yw dy enw di?'

'Jim.'

'Wel, Jim, ti yw'r hogyn du cynta i weithio yma ers tro byd.' Edrychodd y llanc ar y domen losg, ond nid oedd Bob wedi gorffen y sgwrs eto. 'Wnest ti ddianc o Dde Carolina?'

'Naddo.' Saethodd Jim olwg herfeiddiol ato. 'Mi ges i 'ngeni yma yn Georgia. Yn ddyn rhydd.'

Chwarddodd Bob a throi'i lygaid yntau at at y domen losg. 'Wel. Rwyt ti'n rhydd, efallai, ond dwyt ti ddim yn llawer o ddyn.' Chwarddodd eto.

Dechreuodd y golosgwr tal â'r gwallt caglog wneud tân bach yn agos at un o'r cabanau wrth i'r haul ddechrau machlud ac estynnodd grochan, ychydig o offer coginio, a dwy sach o'r caban. Pan ddaeth y golosgwyr i eistedd ar fonion coed a bwyta roedd yn dywyll yn y llannerch ar wahân i fflamau'r tân a golau egwan cryman o leuad uwch ben. Rhoddodd y cogydd bowlen dun dolciog i'r llanc a'i annog i estyn lobsgows o'r crochan.

Daeth sŵn o bell, cerbyd yn cloncian ar y lôn. Gwelai Grasi wedyn fod wagen yn dod i'r llannerch, llusern a hongiai o bolyn ar sêt y gyrrwr yn taflu ychydig o oleuni dros gefnau'r ceffylau. Roedd tri dyn yn y wagen, dau yn y sêt ac un yn y cefn, yn gwisgo hetiau trichorn a chlogynnau.

Cododd y golosgwr hŷn, ei bibell glai yn ei law.

'Y chi!' Estynnodd dybaco o'i boced a dechrau llenwi powlen ei bibell.

'Wastad yn hwyr! A ninnau wedi gorffen gwaith am y dydd. Bydd rhaid i chi ddisgwyl tan y bore.'

'Dewch,' meddai un o'r dynion ar sêt y wagen, 'mi wyddoch chi ein bod ni'n talu'n well na neb.'

Bu'n rhaid i'r llanc godi rhaw a helpu Bob a dau o'r golosgwyr eraill i lenwi'r wagen. Cafodd Grasi ambell gipolwg ar y dynion dieithr yng ngolau'r llusern; doedd dim byd neilltuol am eu pryd a'u gwedd, ar wahân i'r ffaith bod y tri wedi eillio'r diwrnod hwnnw. Ond sylwodd fod un ohonyn nhw wedi cymryd diddordeb ynddi hithau – neu, yn hytrach, yn y llanc mewn dillad carpiog a oedd yn gweithio gyda'r golosgwyr – ac roedd rhywbeth yn natur y diddordeb hwnnw a wnâi iddi deimlo'n anghyffordus.

Pan oedd y wagen wedi'i llwytho, aeth y ddau olosgwr arall yn ôl i'w cabanau, y naill yn cwyno wrth y llall am ddiwrnod o waith a oedd yn galetach na'r arfer. Arhosodd Bob yn ymyl y domen o olosg, yn pwyso ar goes ei raw ac yn anadlu'n drwm.

Sylwodd Grasi fod y dyn a fuasai'n syllu ar y llanc yn siarad yn ddistaw â phennaeth y golosgwyr, ac yntau'n dal ei bibell glai ag un llaw ac yn tynnu bysedd ei law arall trwy'i farf flêr hir. Sugnai'n egnïol ar goesyn y bibell, y mwg yn codi o'i phowlen ac yn diflannu yn nhywyllwch y nos. Edrychodd dyn y wagen arni o gil ei lygaid ac wedyn trodd yr hen olosgwr ac edrych arni hefyd. Dechreuodd y ddau siarad eto.

Edrychodd Grasi ar Bob: roedd wedi estyn clwtyn o'i boced ac wrthi'n sychu'r chwys a'r lludw o'i wyneb. Symudodd hi o gwmpas y wagen, yn sicrhau'i bod hi'n cadw'r cerbyd rhyngddi a'r dynion.

'Ble mae o?' Llais dyn y wagen.

'Bob?!' Yr hen olosgwr, yn galw'n flin. 'Ble mae'r hogyn yna?' Roedd dau neu dri ohonyn nhw wedi dechrau cerdded, yn chwilio. Rhedodd Grasi. Roedd yn dywyllach yn y rhan honno o'r llannerch gan fod y wagen rhyngddi hi a'r tân, ond roedd am gyrraedd cysgodion tywyll y coed y tu hwnt i'r llannerch.

'Fan'na!' gwaeddodd un o'r dynion. Galwodd un arall, ei waedd yn anifeilaidd o yddfol.

Rhedodd Grasi am ei bywyd, yn dewis cyflymder ar draul tawelwch, sŵn ei thraed yn curo'r ddaear yn frawychus o uchel yn ei chlustiau'i hun. Pe bai hi'n baglu dros wreiddyn neu garreg, byddai ar ben. Ond cyrhaeddodd y goedwig a llithrodd o dan y canghennau. Dechreuodd arafu ychydig, yn ceisio osgoi gwneud gormod o sŵn. Sylwodd fod y coed yn teneuo ychydig bach o'i blaen a chamodd ar lwybr cul. Gallai deithio'n gyflymach felly. Trodd i'r chwith a dechrau rhedeg, yn manteisio ar hynny o olau leuad a syrthiai ar y llwybr. Ond roedd rhywbeth yn ei phoeni; am ryw reswm, doedd hi ddim yn teimlo'i bod hi wedi gwneud penderfyniad doeth. Roedd ei greddfau'n gwbl gywir fel rheol, ond y tro hwn roedd fel pe bai hi wedi symud yn rhy fuan neu'n rhy hwyr neu wedi dewis y cyfeiriad anghywir. Plygodd y llwybr o gwmpas clwstwr o goed trwchus oedd wedi tyfu'n agos at ei gilydd. Rhedodd, yn dilyn y troad heb arafu.

Ac yno. O'i blaen ar y llwybr. Ffurf dyn. Silowét gyda het ar ei ben a chlogyn hir yn syrthio at ei bengliniau. Roedd rhywbeth yn ei law, tua'r un maint a siâp â phistol, golau'r lleuad yn disgleirio ar rywbeth yn debyg i wydr yn ogystal â metel. Neidiodd Grasi i'r ochr er mwyn rhoi coeden rhyngddi hi a'r bygythiad, gan droi am yn ôl ar yr un pryd. Teimlodd rywbeth. Ni chlywodd ddim byd – dim ergyd gwn, dim clep, dim byd – ond teimlodd rywbeth. Fel pe bai wedi'i tharo yng nghefn ei phen gan rywbeth a oedd yn feddal ond eto rywsut yn suddo trwy'i phenglog ac yn cyffwrdd â'i hymennydd. Baglodd. Syrthiodd. Ond yn hytrach na glanio ar lawr y goedwig, teimlodd ei bod hi'n disgyn i ganol dŵr ac yn cwympo i gysgu ar yr un pryd.

Rhwng Cwsg a Deffro

NI ALLAI GRASI weld ond gallai glywed. Dau lais. Dau ddyn yn siarad. Deallai ystyr eu geiriau, er nad oedd ei meddwl dryslyd yn gallu dweud pa iaith oedd hi.

'Rhyfedd.' Ailadroddai'r ddau ddyn y gair hwnnw.

'Ie, rhyfedd.'

'Mae'r effaith yn wahanol.'

'Y fo sy'n wahanol. Mae rhywbeth amdano.'

'Nage. Sbia di. Y hi ydi o. Merch ydi hi.'

'Wel, mae rhywbeth amdani hi. Mae wedi'i heffeithio'n wahanol.'

'Rhyfedd.' Ac felly ymlaen, y ddau lais yn trafod, yn ailadrodd yr un pethau, yn siarad mewn cylchoedd.

'Gwrandewch.' Llais arall. Dyn arall. Trydydd un. Roedd rhan o feddwl Grasi'n ceisio canolbwyntio ar y sgwrs a dilyn ystyr y geiriau, ond roedd rhan arall o'i meddwl yn ceisio adnabod yr iaith. Mvskoke? Saesneg? Gaeleg? Almaeneg? Ladino? Sbaeneg? Cymraeg? Ffrangeg?

'*This one needs to be treated quite differently.*' Clywodd y trydydd llais eto a gwyddai. Saesneg oedd yr iaith. Ac roedd rhywbeth arall, rhywbeth am yr acen. Roedd y trydydd un yn wahanol i'r ddau arall. '*Indeed. There is something rather special about her.*' Blas Seisnig ar ei Saesneg, dyna ydoedd. Roedd y dyn hwn o

Loegr. Roedd y ddau arall wedi'u magu yn America ond roedd y trydydd un o dde Lloegr. *'We have a change of plans, gentlemen. We must take this one to Reverend Whitefield straight away.'*

A dechreuodd y ddau arall siarad mewn cylchoedd eto.

'Rhyfedd, ynde.'

'Ie wir. Rhyfedd ofnadwy.'

Ceisiai Grasi symud ond ni allai hi gael hyd i'w chorff er mwyn ei symud. Ni allai syflyd cymaint ag un bys. Ni allai agor ei llygaid. Ni theimlai ddim byd. Roedd fel pe bai'i chlustiau a rhan o'i meddwl wedi'u datgysylltu o'r gweddill ohoni ac yn arnofio rhywle, ond a darnau eraill o'i meddwl yn yr un lle â'i chorff a hithau heb ffordd o gael atyn nhw.

'Edrychwch arni.' Llais y Sais eto. 'Mae'n effro.'

'Does bosib!'

'Fedra i ddim credu –'

'Ydi, mae'n bosib,' meddai'r Sais yn awdurdodol. 'Mae hon yn wahanol. Rwy'n credu'i bod hi'n lled effro. Yn gwrando arnon ni'n siarad yr eiliad yma. Rwyf am roi ergyd arall iddi.'

Ac wedyn roedd hi'n symud ond yn aros yn ei hunfan eto, yn syrthio i mewn i bwll o ddŵr tywyll heb deimlo gwlybaniaeth. Cysgodd eto. Breuddwydiodd.

*

Roedd hi'n cerdded o gwmpas Bethesda, y lle a fu'n gartref iddi am y rhan fwyaf o'i phlentyndod. Nid oedd wedi newid; roedd y prif adeilad, y gweithdy a'r clafdy yn union yr un fath â'r hyn a gofiai. Tebyg oedd y caeau a'r coed a'r llwybrau hefyd. Ond gwelai'r cyfan mewn rhyw olau rhyfedd, fel pan fydd yr awyr yn duo ganol dydd adeg corwynt a'r cymylau bygythiol yn troi'r heulwen yn llwydaidd – rhyw dywyllu canol dydd arallfydol, nid tywyllu'r cyfnos. Cerddodd yn araf i ddrws tu blaen y prif adeilad a gwelodd fod un peth yn wahanol. Roedd gardd wedi'i phlannu o flaen y drws, cylch gyda pherlysiau o bob math a llwyni o rosynnau cochion. Safai cerflun yng nghanol y cylch – plinth gwenithfaen mawr gydag angel efydd yn sefyll arno. Roedd yr angel yn fwy na dyn cyffredin ac roedd ei adenydd a'i freichiau ar led, nid yn annhebyg i'r cerflun yng nghanol Sgwâr Oglethorpe. Ac yn debyg i'r cerflun arall hwnnw, awgrymai ei wyneb ei fod yn wrywaidd ond eto roedd yn lled fenywaidd hefyd. Er ei fod yn efydd ac yn ddisymud, roedd rhywbeth byw am lygaid yr angel, rhyw deimlad ei fod yn gallu'i gweld hi. Cododd y gwynt, un cryf a awgrymai fod storm fawr ar y ffordd. Symudai'r planhigion yng ngafael y gwynt, a sylwodd Grasi eu bod yn marw wrth symud, y perlysiau'n duo ac yn syrthio i'r ddaear, y rhosynnau cochion yn troi'n frown ac wedyn yn troi'n ddu, pob blodyn yn plygu'i ben ar ei goesyn ac yna'n disgyn i'r ddaear. Gwyddai fod y gwynt yn eu lladd. Poenai y byddai'r gwynt yn cyffwrdd â hi hefyd. Agorodd twll bach iawn yn y cymylau duon uwchben, digon i adael i un pelydryn o heulwen syrthio ar yr angel. Disgleiriodd llygaid y cerflun a symudodd ei ben ychydig. Edrychodd ar Grasi a siaradodd, ei lais yn wrywaidd ac yn fenywaidd, yn feddal fel melfed ac yn galed fel efydd ar yr un pryd. 'Paid â phoeni,' meddai, yn siarad heb agor ei geg, y llais yn codi y tu mewn i'w phen. 'Ni all y gwynt hwn gyffwrdd â thi.' Gwyddai Grasi gyda hynny fod yr angel yn iawn. Ni allai deimlo'r gwynt ar ei chroen. Nid oedd arni ofn.

Plentyn bach iawn oedd hi ac roedd ym mreichiau'i mam. Mewn ystafell mewn tŷ. Un o dai Safana, nid annedd ym mhentref y Mvskoke. Ond roedd ei mam yn siarad Mvskoke â hi, yn egluro bod ei thad wedi marw a bod rhaid iddyn nhw aros yn y lle hwn am ychydig. Roedd hi'n rhy ifanc i ddeall ac i gofio, ond eto roedd hi'n deall ac yn gwybod y byddai'n cofio hyn. Gwyddai y byddai'n cofio teimlad breichiau'i mam yn ei gwasgu at ei mynwes. Gwyddai y byddai'n cofio ansawdd llais ei mam. Roedd y teimlad yn rhywbeth y byddai'n ei gofio hefyd, cyfuniad o dristwch a chariad yn eu clymu ill dwy ynghyd.

Gwelodd y darlun enwog yn Neuadd y Ddinas, Tomochichi'n croesawu James Oglethorpe pan gyrhaeddodd y Sais y tro cyntaf. Ond nid darlun ydoedd. Roedd hi yno, yn tystio i'r digwyddiad. Sylwodd fod rhai manylion ychydig yn wahanol i'r darlun – lliw gwisg y Cadfridog Oglethorpe, gwallt Tomochichi, y dynion a safai y tu ôl i'r Sais a'r gymysgedd o ddynion a gwragedd a safai o gwmpas pennaeth y Mvskoke. Deallodd: fel hyn yr oedd go iawn. Ac yn wahanol i'r llun, roedd un wraig yn sefyll rhwng y ddau arweinydd, yn siarad â'r ddau, yn cyfieithu. 'Dywedaf unwaith eto,' meddai'n Saesneg wrth y Cadfridog Oglethorpe, 'mae croeso i chi aros yma, ar y telerau hynny.'

Gwelodd Martin wedyn. Roedd yn gorwedd ar wely – nac oedd, roedd yn gorwedd ar fwrdd, ond yn cysgu fel pe bai mewn gwely – lliain gwyn wedi'i dynnu i fyny'n dwt at ei ysgwyddau. Roedd ei wyneb yn welw iawn, mor wyn â'r lliain. Yn farw. Safai gwraig oedrannus yn ymyl ei ben, yn wylo. Cyrhaeddodd rhywun arall. Safodd hi yn ymyl y wraig a chydio yn ei braich. Edrychodd Grasi arni a gweld mai Maria Fuchs oedd hi. Roedd hi'n wylo hefyd. Cydiodd ym mraich y wraig oedrannus a oedd yn siarad â hi yn Almaeneg trwy'r dagrau. 'Y fo oedd yr ieuengaf o'm plant i,' dywedodd. 'Gwn i, gwn i,' atebodd Maria. 'Roeddwn i'n gobeithio dy gael yn ferch-yng-nghyfraith cyn hir, Maria.' 'A finnau'n gobeithio'ch –,' meddai Maria, ond gorchfygwyd ei geiriau gan yr wylo. 'Maen nhw'n dweud ei fod wedi gwasanaethu'n dda,' meddai mam Martin. Roedd Maria'n sychu'i llygaid â hances. 'Do, do,' meddai, yn methu â dweud mwy na hynny.

Roedd hi'n hedfan fel aderyn dros donnau'r môr. Nid oedd tir i'w weld yn unman, ac er bod yr awyr yn weddol glir a'r haul yn ddisglair, roedd tipyn o wynt a'r tonnau'n tasgu'n arw. Gwelodd long yn hercian trwy'r tonnau yn y pellter. Hedfanodd ati a gweld mai llong fasnach fawr o ryw fath ydoedd. Ni sylwodd yr un o'r morwyr arni wrth iddi hedfan o'u cwmpas. Aeth i lawr trwy hats agored yng nghanol y dec i grombil tywyll y llong. Yno yn y cysgodion roedd cannoedd o Affricaniaid, yn ddynion ac yn wragedd ac yn blant o bob oed. Pob un yn noeth, pob un mewn cadwyni. Cannoedd ohonynt wedi'u gwasgu ynghyd fel pysgod hallt mewn casgen. Roedd pennau rhai ohonyn nhw'n hongian yn llipa, a nhwythau'n rhy wan i'w codi, ac roedd ambell un yn griddfan. Ond sylwodd ar ddau ddyn a ymddangosai'n effro iawn, dau ddyn ifanc yn siarad gyda'i gilydd. Teimlodd Grasi ryw dynfa at un ohonyn nhw. Dywedai rhyw reddf fod gwaed y dyn ifanc hwn yn llifo yn ei gwythiennau hithau. Roedd am fynd yn nes ato, gwrando arno, ceisio ymddangos o'i flaen a siarad ag o, ond aeth y cyfan yn dywyll. Ceisiodd adnabod y llais hwnnw eto, ond ni allai'i glywed, dim ond sŵn pren y llong yn gwichian, y tonnau'n bwmio'n uchel wrth iddyn nhw daro'r llestr, sŵn cadwyni'n clencian a llais ambell gaethwas yn griddfan. Ni allai weld dim, ond ni ddaeth y freuddwyd i ben chwaith.

Aeth ymlaen ac ymlaen, a hithau'n gaeth yno yng nghanol synau dioddefaint.

Ac wedyn roedd ar long gyfarwydd. Nac oedd. Cwch. Craffodd. Fferi ydoedd, un o'r rhai a groesai o Safana i Ynys Hutchinson. Gwyddai y byddai hi'n cerdded ar draws yr ynys fach a mynd ar y fferi arall i'r gogledd a glanio ar dir De Carolina. Roedd pob manylyn o'r daith, pob wyneb, pob aderyn a hedfanai heibio yn gyfarwydd, yn bethau yr oedd wedi'u gweld o'r blaen. Deallodd. Roedd hi'n ail-fyw ei gorchwyl cyntaf, y cyntaf un ar ôl iddi ymuno â Gwasanaeth Cyngor Safana. Nid oedd ar ei phen ei hun; roedd Ana'n teithio gyda hi ac roedd y ddwy'n croesi'r ffin i Dde Carolina er mwyn casglu sïon am weithredoedd llywodraeth y drefedigaeth. Chwyrlïai gwersi cyntaf y Gwasanaeth y tu mewn i ben Grasi wrth iddi gerdded. Mae ymddygiad didrugaredd a rheswm oeraidd yn esgor ar lwyddiant. Y manylyn bach rwyt ti'n ei anghofio yw'r manylyn bach a allai dy ladd di. Yno yr oedd Ynys Hutchinson, ychydig o goed y tu ôl i gytiau'r pysgotwyr a'r dociau. Ond toddodd yr ynys. Newidiodd ei thirwedd. Tyfodd ac ymestynnodd a throi'n rhywle hollol wahanol. Aeth y cytiau'n adeiladau mawr praff a mwd y lan yn strydoedd ac yn balmentydd. Camodd Grasi i lawr a gosod ei thraed ar un o'r strydoedd hynny; roedd hi yn Charleston, ar un arall o'r gorchwylion yr oedd wedi'u cyflawni ers iddi ymuno â'r Gwasanaeth. Roedd ar ei ffordd i wneud trefniadau, i sicrhau y byddai Lambert Armitage, masnachwr mewn caethweision, yn cael ei wenwyno. Trodd gornel y stryd ac roedd hi yn Philadelphia ar berwyl gorchwyl arall, yn mynd â neges gyfrinachol at gyfeillion rhyddid yn y ddinas honno. Ac wedyn roedd hi mewn coedwig yng ngorllewin Georgia, yn gwylio'r ffin. Ac yna roedd hi'n troedio tir Delaware, ar ei ffordd i weld y Parchedig Aldus Samuel, un o'r Methodistiaid Rhyddion. Newidiodd y lle eto. Ac eto. Toddodd y naill olygfa i mewn i'r llall, ac er ei bod hi'n cofio rhai o'r tasgiau yr oedd hi wedi'u cyflawni roedd eraill yn bethau nad oedd hi wedi'u gwneud eto, yn gynnyrch ffansi'r freuddwyd neu efallai'n gipolwg ar ei dyfodol. Roedd hi mewn tref yng nghanol mynyddoedd mewn lle nad oedd wedi'i weld erioed o'r blaen, yn cerdded i gyfeiriad adeilad mawr gyda baner Gweriniaeth Rydd Vermont yn cwhwfan ar dŵr yng nghanol ei do. Ac wedyn roedd mewn neuadd bren fawr, yn cymryd rhan mewn cyngor egnïol yn ymgynefino â iaith newydd. Hwn oedd y tro cyntaf iddi ddefnyddio'r iaith hon. Ac wedyn roedd hi'n ôl yn Safana, yn cerdded yn rhith dyn ifanc o dras Affricanaidd, gwas ar drywydd neges ei feistr, ar ei ffordd i Dafarn yr Ardd. Ac yno mewn llofft, yn syllu'n synn arni wrthi iddi siarad Cymraeg ag o, oedd y Cymro ifanc hwnnw, Iolo Morganwg.

Ac yna roedd hi'n ddeg oed ac yn eistedd mewn cadair gyfarwydd mewn ystafell gyfarwydd. Eisteddai'r Parchedig Whitefield am y ddesg â hi, yn craffu arni dros domen uchel o lyfrau. Syllai am yn hir arni, rhyfeddod yn ei lygaid disglair. Siaradodd yn dawel, fel pe bai arno ofn deffro rhywun a oedd yn cysgu yn ei ymyl. '*I asked how you come by this knowledge, Grasi.*' Seibiodd, yn oedi, yn dewis ei eiriau'n ofalus. '*What I should have asked is this: how did you come by this gift?*' Dywedodd nad oedd hi'n gallu esbonio'i dawn. 'Fel hyn ydw i' oedd y cyfan a gynigiodd, yn poeni pan ddaeth y geiriau o'i cheg nad oedd hi'n rhoi digon o eglurhad i'r dyn a barchai mor fawr. 'Grasi,' meddai'r Parchedig Whitefield yn daer, 'gallet ti fod yn un o'r angylion.'

Ac wedyn roedd hi'n edrych ar George Whitefield ond o ongl wahanol. Roedd o mewn lle gwahanol hefyd, yn sefyll y tu allan i adeilad o ryw fath. Safai ar lwyfan ac roedd torf fawr o bobl wedi ymwasgu o'i gwmpas. Gan fod y diwrnod mor boeth roedd ei wyneb yn goch iawn o dan ei chwig gwyn ac yn sgleiniog gan chwys. Ar ganol pregeth oedd o, a'i lais soniarus yn llifo ar draws y dorf fawr. '*Shall some angel then, or archangel, undertake to fulfill the covenant which we have broken, and make atonement for us?*' Oedodd, yn craffu ar y dorf, ei lygaid yn symud yn ôl ac ymlaen, yn astudio'r môr o wynebau a oedd yn syllu arno'n eiddgar. Cododd ei law dde yn uchel wedyn, yn dangos ei chledr i'r dorf. '*Alas!*' Galwodd, ei lais yn uchel ac yn taro nodau melodaidd. '*The angels are only creatures, though creatures of the highest order, and therefore are obliged to obey God as we are. No creature, however mighty, can make atonement for us. There is only one way to remake the covenant which we have broken.*'

Symudodd popeth o flaen ei llygaid, y lliwiau'n ymdoddi ac yn newid, ac roedd hi yno yn yr ystafell gyfarwydd eto. Ond nid oedd hi'n eistedd yn y gadair o flaen y ddesg. Roedd hi yn y gwely y tu ôl i'r ddesg. Ei wely o. Ac yno yr oedd y Parchedig Whitefield, yn eistedd yn ei gadair arferol, rhwng y ddesg a'r gwely. Roedd wedi troi'i gadair er mwyn edrych arni, a hithau'n cysgu. Synhwyrodd ei bod hi'n dechrau deffro a siaradodd. 'Doeddwn i ddim yn disgwyl hyn, Grasi, wir. Ond mae'n amhosib i ddyn ganfod ym mha ffordd y mae Rhagluniaeth yn llywodraethu ein bywydau. Ac mae dy weld di eto yn llonni fy nghalon, wir. Gwn na fyddi di'n fy nghredu i, ond rwyf yn dweud y gwir.'

Plentyn bach oedd hi eto, ei mam yn ei gwasgu'n dynn at ei mynwes ac yn canu iddi. '*Notsa, notsa, notsa.*' Canai'n dawel, ei llais yn lapio o'i chwmpas fel planced feddal gynnes. 'Cwsg, cwsg, cwsg.' Canai am ei thad. Roedd ei thad wedi mynd i hela ond addawodd y byddai'n dychwelyd yfory. Er ei bod hi'n ifanc iawn, yn faban hyd yn oed, yn rhy ifanc i ddeall y geiriau, deallai Grasi hyn oll. Deallai bob gair o hwiangerdd ei mam a gwyddai y byddai hi'n cofio'r geiriau hyn.

14

Angel Bethesda

A GORODD EI LLYGAID a gweld ystafell gyfarwydd. Roedd yn agos at ddeng mlynedd ers iddi ei gweld ac nid oedd yr ystafell wedi newid dim. Ond roedd hi'n ei gweld o ongl wahanol; nid oedd hi'n eistedd mewn cadair o flaen y ddesg neu'n sefyll rhwng y ddesg a'r drws, ond yn gorwedd y tu ôl i'r ddesg. Ei wely o ydoedd, y gwely bach twt y tu ôl i'w ddesg, a rhyfedd oedd canfod ei bod hi'n gorwedd ynddo. Dywedai'r golau yn y ffenestr fach ei bod yn hwyr yn y prynhawn.

Eisteddai o yno hefyd. Roedd wedi troi'r gadair oddi wrth ei ddesg er mwyn ei gwylio hi'n cysgu. Gwenodd, yn ymateb i'r ffaith ei bod hi'n deffro, ei big o drwyn fel anelfa'n helpu ei lygaid i hoelio'i llygaid hithau. Gwisgai'r un math o chwig gwyn ag erioed, yr ochrau'n hongian i lawr fel clustiau sbaengi ac yn cuddio'i glustiau'i hun.

'And so it really is you.' Ochneidiodd George Whitefield yn hiraethlon. 'And look at you! You're no longer a girl, but a fine young lady.' Cododd fys at gornel ei lygaid ac roedd Grasi'n sicr ei fod yn ei ddefnyddio i symud deigryn bach. 'Mae hyn yn syndod ac yn rhyfeddod i mi, wir. Y peth olaf yr oeddwn i'n ei ddisgwyl oedd i ti ymddangos yma ym Methesda.' Gwenodd eto. 'Ond mae'n amhosib i ddyn ganfod ym mha ffordd y mae Rhagluniaeth yn llywodraethu'n bywydau ni.'

Oedodd, efallai'n disgwyl iddi ddweud rhywbeth. Pan welodd nad oedd hi'n gwneud dim ond syllu arno, siaradodd eto. 'Bid a fo am yr amgylchiadau, mae dy weld di eto yn llonni fy nghalon. Gwn nad wyt ti'n fy nghredu i, ond rwyf yn dweud y gwir, Grasi.'

Roedd ei chalon yn curo'n galed. Gan fod gweddill ei chorff yn gwbl ddisymud, poenai Grasi y byddai'n gallu gweld y cynnwrf hwn ynddi. Hwn oedd y teimlad pan welodd hi o o'i chuddfan ym Mhlas Profidens. Er bod hunanreolaeth gadarn ymysg ei doniau pennaf, roedd bod mor agos at y dyn hwn yn effeithio arni mewn modd a oedd yn ei dychryn. Sylwodd ei bod hi'n anadlu'n drwm hefyd. Caeodd ei llygaid a cheisio canolbwyntio ar guriad ei chalon ac ymchwydd ei hysgyfaint.

'Paid â phoeni,' dywedodd y Parchedig Whitefield, yn ddidaro, fel pe bai hi'n ferch fach eto ac yntau'n ei chysuro. 'Rwy'n siŵr y bydd yr effaith yn pylu'n fuan.' Pefriodd ei lygaid. 'Gan dy fod mor wahanol i bawb arall, nid yw'n syndod nad yw'n effeithio arnat ti yn yr un modd. Mae'n gallu gwneud i ddyn mawr cryf gysgu am ddyddiau lawer, ond dyma ti'n dechrau deffro'n barod ar ôl llai na diwrnod.' Roedd balchder yn ei lais, fel tad yn cydnabod camp ei blentyn neu athro'n ymfalchïo yn llwyddiant ei ddisgybl galluocaf. 'Yn wir, rwyt ti'n wahanol i greaduriaid eraill y ddaear!'

Gwyddai ei bod hi'n gallu symud ei chorff ond sylweddolodd na fyddai symud yn hawdd gan fod rhywbeth yn gwasgu arni. Craffodd gyda'i meddwl, ei llygaid wedi'u cau o hyd. Deallodd fod clymau o ryw fath yn ei chadw yn ei lle ar y gwely, un yn gwasgu'i breichiau'n dynn yn ymyl ei hochrau a'r llall ychydig uwchben ei phengliniau ac yn cadw'i choesau'n sownd. Canolbwyntiodd ar reoli'i hanadlu a'i chalon. Ar ôl iddi deimlo'i bod yn dechrau llwyddo, agorodd ei llygaid eto, ond ceisiodd wneud iddynt ymddangos yn wan ac yn ddiffocws.

'Paid â phoeni,' meddai, ei lais yn gysurlon, 'mae'n rhyfeddol dy fod yn effro o gwbl.' Synhwyrodd Grasi fod presenoldeb arall yn yr ystafell. Ni allai ei weld, ond roedd rhywun yn sefyll rywle rhwng y ddesg a'r drws. 'Wir, Grasi. Mae'n hyfryd dy weld di eto, hyd yn oed o dan yr amgylchiadau anffodus hyn.' Aeth George Whitefield ymlaen, yn ailadrodd yr un pethau, ei lais yn pendilio rhwng caredigrwydd a syndod.

Penderfynodd Grasi iddi ddysgu popeth y gallai ei ganfod trwy aros yn ddistaw a'i bod yn bryd iddi arddel strategaeth arall. Siaradodd yn dawel, yn cogio'i bod hi'n gysglyd iawn o hyd.

'Mae'n rhyfedd. Rhyfedd cyfaddef. Ond. Mae'n dda bod yma. Ym Methesda eto.' Nododd hi fel yr oedd yr olwg ar ei wyneb yn newid wrth iddi siarad. 'Ac. Ie. Mae'n dda eich gweld chi eto hefyd.' Pefriodd ei lygaid yn ymateb i'w geiriau. Dechreuodd y Parchedig Whitefield siarad yn hiraethlon unwaith yn rhagor, yn dweud ei bod yn rhyfeddod ganddo glywed ei llais, a hithau'n ddynes ieuanc. Dywedodd ei fod yn clywed llais yr eneth fach o hyd, yr un a fuasai'n eistedd yno o flaen ei ddesg wrth iddo ei holi am ei gwersi ac ailadrodd canmoliaeth ei hathrawon.

Clywodd Grasi sŵn traed. Traed pwy bynnag oedd yn yr ystafell gyda nhw. Edrychodd o gil ei llygaid heb symud ei phen. A dyna lle oedd o, yn sefyll yn ymyl y ddesg. Un o ddynion y wagen, ond heb ei glogyn a'i het. Roedd ei ddillad yn syml iawn a'i wallt wedi'i dorri'n fyr o gwmpas ei glustiau. Ac roedd y teclyn yn ei law. Dyfais yn debyg i bistol ond bod y carn yn fetel yn hytrach na phren a rhyw fath o biben wydr hir yn lle baril metel, bron fel llusern wedi'i throi ar ei hochr a'i chysylltu â charn gyda chlicied i'w thanio. Siaradodd.

'*It worries me that she is so awake, Reverend Whitefield. Perhaps I should administer another dose.*' Llais cyfarwydd, acen gyfarwydd: y Sais a fu gyda'r ddau ddyn arall yn y wagen.

'*It's all right, Godfrey,*' atebodd y Parchedig Whitefield, heb dynnu'i lygaid oddi ar wyneb Grasi. 'Rwyf yn ei hadnabod yn dda iawn. Byddwn i'n gwybod pe bai hi ar fin gwneud rhywbeth anffodus.' Safodd Godfrey yno, ei law dde'n cydio yng ngharn yr arf rhyfedd a'r baril gwydr yn pwyso ar gledr ei law chwith.

'Ti oedd o.' Siaradodd George Whitefield fel pe na bai'r dyn arall yn yr ystafell. 'Ti oedd yr un ym Mhlas Profidens y noson honno, Grasi, ynde? Ti oedd yr un y tu ôl i ddrws y gweision noson cynulliad y Synod.' Ni ddywedodd hi ddim. 'Doedd dim rhaid i ti sleifio i mewn yn llechwraidd a chuddio.' Gwenodd. 'Gallet ti fod wedi cerdded yn dalog trwy'r drws. Byddwn wedi dy groesawu fel aelod o'm teulu i. Fel aelod o deulu Bethesda.' Trodd ei wên yn wg. 'Ond rwyt ti wedi ymddieithro'n ofnadwy ers i ti ymadael.' Pwysodd yn ôl yn ei gadair. 'Rwyf ar fai, Grasi. Am beidio ag egluro'n well.' Gwenodd yn drist. 'Y tro diwethaf yr oedd y ddau ohonom yma yn yr ystafell hon gyda'n gilydd. Dylwn fod wedi egluro'n well. Dylwn fod wedi lleddfu dy ddicter. Gwneud i ti sylweddoli bod y byd pechadurus hwn yn fyd cymhleth iawn. Bod ymddygiad moesol perffaith yn amhosib mewn byd amherffaith.'

Gwrandawai Grasi, ond roedd rhan arall o'i meddwl yn craffu ar y rhwymau a'i rhwystrai, yn dadansoddi'u hyd a'u lled a'u cryfder. Casglodd na allai ddysgu digon heb symud ychydig felly cododd ei phen fymryn ac edrych. Rhaffau.

Ceisiodd godi'i breichiau a'i choesau er mwyn gweld yn union pa mor dynn oeddynt.

'Mae'n ddrwg gen i, Grasi.' Roedd yr ymddiheuriad yn ei lais yn ddiffuant. 'Fel rwyf newydd ei ddweud. Mae'n fyd amherffaith, ac mae'n rhaid i ni ymddwyn mewn modd sy'n gweddu i fyd amherffaith.'

Cronnodd Grasi ei chryfder ac yna symudodd eto, yn gwthio'i breichiau a'i choesau i fyny ac allan gymaint â phosib. Aeth yn llipa wedyn, yn ymddangos fel pe bai'n ildio ar ôl sylweddoli bod yr ymdrech yn ofer. Ysgydwodd George Whitefield ei ben ychydig a thwtiodd, yn clwcian ei dafod ar ei dafod. *Tsyc tsyc tsyc.*

'Byd amherffaith, Grasi. Fel y dywedais i. Mae'n fyd amherffaith. Roeddet ti'n dysgu dy wersi'n gyflymach ers talm.'

'Ac roeddech chi'n croesawu pobl o dras Affricanaidd yma ym Methesda ers talm.' Roedd yn amser arddel strategaeth newydd, a llwyddodd y dicter yn ei lais a'i llygaid i daro'r nod. Hanner neidiodd y gweinidog yn ei gadair, fel pe bai hi wedi poeri arno. Aeth ei wyneb yn goch o dan y chwig gwyn. Gwthiodd Grasi'n galed yn erbyn y rhaffau, yn gwneud sioe o'r ymdrech. 'Ond edrychwch! Nid felly heddiw! Dyma fi heddiw wedi 'nghaethiwo gyda chlymau, yn union fel y bobl sydd mewn clymau ar eich planhigfa yn Ne Carolina. Yn union fel yr ormes yr ydych am ei gorfodi ar bawb yma yn Georgia.'

'Gwranda, Grasi.' Plygodd ymlaen yn ei gadair nes bod ei wyneb coch yn agos at ei hwyneb hithau. Roedd aroglau ar ei wynt, perlysiau'n debyg i fintys a licris a rhywbeth arall wedi'u cymysgu – y ffisig a gymerai at ei asthma. 'Rwyt ti'n cymysgu pethau pur wahanol. Nid dy liw yw'r rheswm dros hyn,' taflodd ei lygaid dros y rhaffau, 'ond y ffaith dy fod yn gwasanaethu'r gelyn.' Edrychodd yn dosturiol arni. 'Y ffaith bod penboethiaid Cyngor Safana wedi dy hudo i ymuno â'u Gwasanaeth nhw.'

'Cyfeillion rhyddid. Dyna ydyn nhw.' Siaradodd Grasi heb y dicter yn ei llais, fel un yn ymresymu, yn sicrhau na ddangosodd unrhyw ymateb wrth glywed ei fod yn gwybod am y Cyngor a'r Gwasanaeth. 'Y chi sydd wedi'ch camarwain gan eich awydd i wneud elw.'

'Cofia di'r hyn a ddywedais flynyddoedd yn ôl, Grasi. Mae elw fy mhlanhigfa yn Ne Carolina yn helpu i redeg y cartref hwn. Ni fyddai ugeiniau o blant amddifaid wedi cael lloches ac addysg oni bai am yr elw hwnnw. Ac mae achosion da eraill yn America yn cael eu cefnogi yn yr un modd.'

'Mae achosion da eraill yn Georgia ac yn y trefedigaethau rhydd eraill nad ydyn nhw yn dibynnu ar elw a wneir trwy ormesu pobl eraill.'

'Ond nid yw dyfodol y mentrau eraill hynny mor ddiogel. Nid wyf yn chwenychu'r elw i fi fy hun, ond –'

'Rydych chi'n anghofio fy mod i wedi gweld eich plasty ym Mhrofidens. Rydych chi'n byw bywyd moethus dyn cyfoethog, diolch i gannoedd o gaethweision sy'n llafurio ar eich planhigfa.'

'Ond eto,' eisteddodd yn syth yn ei gadair a chodi'i freichiau ar led, 'edrych di, rwy'n hapus iawn i fyw bywyd syml yma ym Methesda.' Gosododd ei ddwylo ar ei liniau. 'Gwyddost yn dy galon fy mod i'n hapusach fan hyn nag yn unman arall, dim ond bod amgylchiadau'r bywyd cymhleth hwn yn fy ngorfodi i wneud pethau eraill mewn lleoedd eraill.' Cododd un llaw ac ysgwyd bys ati. 'Ond mae'n dda gen i dy glywed yn cyfaddef! Ti oedd yr un y noson honno ym Mhlas Profidens.'

'Fel y dywedais. Rwyf wedi gweld eich plasty moethus.'

'Beth arall a welaist ti, Grasi? Beth a glywaist ti'r noson honno?'

'Ni welais ddim a oedd yn syndod i mi. Gwyddwn sut beth oedd cynulliad eich synod chi.' Ochneidiodd Grasi, yn sicrhau bod tosturi'n cyflyru ei llais. 'Pan oeddwn i'n blentyn roeddwn i'n sicr fy mod i'n gwybod pa fath o ddyn oeddech chi.' Plygodd George Whitefield ymlaen yn ei gadair ychydig, ei wyneb yn eiddgar, yn ei gwahodd i fynd ymlaen. 'Roeddwn i'n sicr – yn gwybod – eich bod chi'n ddyn da. Ac felly yn ystod y misoedd ar ôl i mi adael y lle hwn a dechrau dysgu llawer am y byd, roedd yn anodd i mi ddeall pam na wnaethoch chi ymuno â Synod y Methodistiaid Rhyddion yn hytrach na'ch synod melltigedig chi.'

'Melltigedig!' Roedd hiwmor yn ei lais a hanner gwên ar ei wyneb. 'Mae'n air cryf, Grasi!'

'Mae unrhyw drefn sy'n hyrwyddo caethwasiaeth yn felltigedig.'

'Ond Synod Methodistaidd America oedd cyfundrefn ffurfiol gyntaf ein henwad ar y cyfandir hwn, a'r unig un sydd â'r hawl i fod yn synod eglwysig Methodistaidd go iawn. Sbrigynnau yw'r lleill. Hwyrddyfodiaid hanner call. Does ganddyn nhw ddim hawl i honni eu bod yn synod hyd yn oed. Etholwyd fi trwy ddulliau cydnabyddedig i arwain yr unig synod Methodistaidd yn America sydd â'r hawl i'r teitl hwnnw. Yr unig un y mae hanes o'i blaid.'

'Hanes!' Poerodd hi'r gair gan beri iddo neidio'n ôl yn ei gadair, fel pe bai hi wedi'i daro. 'Beth wyddoch chi am hanes?!'

'Gwn fod hanes o'n plaid ni,' atebodd, yn ysgwyd bys ati eto. 'Gwn na fydd yr un drefedigaeth Americanaidd yn llwyddo yn y pen draw heb fanteisio ar lafur caeth. Dyna y mae Rhagluniaeth wedi'i drefnu ar gyfer y cyfandir mawr hwn, dyna sydd ei angen er mwyn codi gwlad Gristnogol newydd ar y glannau pellennig hyn. Deallaf fod y byd hwn yn amherffaith a bod rhaid ymddwyn felly er mwyn dilyn y llwybrau y mae Rhagluniaeth wedi'u trefnu ar ein cyfer.' Plygodd ymlaen a gosod y llaw a fuasai'n ysgwyd bys ati yn gysurlon ar ei hysgwydd. 'Mae'n debyg y bydd caethwasiaeth yn darfod ryw ddydd.' Gwasgodd ei hysgwydd er mwyn dangos ei daerineb. 'Yn wir, rwyf yn gweddïo y *bydd* yn darfod ryw ddydd. Wir i ti, rwyf yn gweddïo *y bydd* y drefn gaeth yn cael ei dileu'n gyfan gwbl o'r cyfandir hwn ryw ddydd... yn y dyfodol pell, ar ôl ein hamser ni.'

'Ar ôl i chi a'ch tebyg fwynhau'r bywydau moethus sydd gennych oherwydd y drefn gaeth.'

'Nage, Grasi, nage.' Gosododd ei ddwylo ar ei liniau eto. 'Ar ôl i'r trefedigaethau Americanaidd gael eu sefydlu'n gadarn. Ar ôl i wlad Gristnogol newydd gael ei chodi ar sylfeini economaidd cadarn. Ar ôl i'r cam hanesyddol hwnnw gael ei gyflawni. Wedyn, ni fydd angen manteisio ar lafur caeth. Wedyn, Grasi. Ar ôl i ni ysgrifennu pennod newydd yn hanes y byd. Ond ni fydd hynny'n digwydd am flynyddoedd lawer. Mae'n cymryd oes a mwy i greu byd newydd, Grasi, yn enwedig gan fod yr hen fyd mor amherffaith.'

Symudodd y dyn a safai'n ymyl y ddesg ei bwysau ychydig o'r naill goes i'r llall. Trodd y Parchedig Whitefield er mwyn edrych arno.

'Mae'n ddrwg iawn gennyf, Godfrey. Anghofiais i amdanoch chi. Peth felly yw gwefr siarad â hen gydnabod.' Chwifiodd law yn yr awyr. 'Eisteddwch. Mae'n bosib y byddwn ni beth amser eto.' Cerddodd Godfrey yn araf i ochr bellaf y ddesg ac eistedd yn y gadair arall, y gadair yr oedd Grasi wedi eistedd ynddi ar lawer achlysur yn y gorffennol pell.

Meddyliodd am y gorffennol hwnnw ac wedyn sylwodd ei bod hi'n meddwl am sawl gorffennol. Daeth rhywbeth yn debyg i bendro drosti a theimlodd ei bod yn breuddwydio – yn gwbl effro ond eto'n breuddwydio. Gwelodd ei bod hi'n hofran yn yr awyr rywle yng nghanol yr ystafell yn edrych i lawr ar yr olygfa, ond nid golygfa oedd hi, eithr golygfeydd. Gwelodd Grasi y hi ei hun yn ferch ifanc yn eistedd yn y gadair a'r Parchedig Whitefield – yn gwisgo'r un chwig ond yn amlwg yn ddyn iau – yn edrych arni ar draws y domen o lyfrau ar ei ddesg, a'r gwely bach twt yn wag y tu ôl i'w gadair yntau. Ac ar yr un pryd gallai weld Godfrey yn eistedd yn y gadair honno, yr arf rhyfedd yn gorwedd ar draws ei liniau, ei law dde'n dal y carn yn llac, a'r Parchedig Whitefield yn eistedd yn ei gadair arferol, ei gefn at Godfrey, yn wynebu pwy bynnag oedd yn y gwely. Craffodd a gweld yr hyn a wyddai'n barod; y hi ei hun a oedd yn y gwely, dwy raff wedi'u clymu ar draws ei chorff. Roedd fel pe bai'r naill olygfa'n ymdoddi i mewn i'r llall, ond eto er gwaethaf y symud parhaus rhwng y gorffennol a'r presennol gallai weld y cyfan yn glir. Nid oedd hi'n teimlo unrhyw bendro bellach; yn hytrach, roedd yn ymwybodol o ryw gryfder y tu mewn iddi. Rhyw allu. Ac yna roedd hi'n gwybod ei bod hi'n gallu gweld golygfa arall yn ogystal â'r ddwy a welai'n barod. Deallodd fod rhaid iddi edrych mewn modd gwahanol a chraffu o ongl wahanol yn ei meddwl. Dechreuodd wneud hynny ac yna gallai weld yr olygfa arall honno. Yr un ystafell oedd hi, ond roedd mwg ym mhob man a distiau'r nenfwd yn disgyn a nhwythau ar dân. Aeth y gorffennol a'r presennol a'r dyfodol ynghyd, y tair golygfa'n ymdoddi'n un darlun ond eto rywsut roedd hi'n gallu gweld pob un am yr hyn ydoedd. Gwyddai wedyn fod golygfeydd eraill i'w gweld a deallodd ei bod hi'n gallu canfod gwahanol gyfnodau yn y gorffennol a'r dyfodol, a dechreuodd graffu, y cyfan yn symud ac yn ymdoddi.

'Grasi, Grasi.' Daeth ei lais â hi'n ôl ati hi'i hun. Roedd o'n siarad yn hiraethlon eto. 'Mae'r cyfan mor anodd, yntydi? Nid wyf yn deall holl lwybrau Rhagluniaeth, ac mae'n rhaid i mi gyfaddef bod rhai ohonynt yn peri cryn benbleth i mi.' Edrychodd hi arno a gweld bod dagrau yn ei lygaid. Gwenodd yn wan arni. 'Efallai mai dyna'r unig ffordd y gallwn ei egluro, Grasi. Rwyt ti'n cael rhai o lwybrau Rhagluniaeth yn anodd i'w derbyn, fel y modd y mae Rhagluniaeth wedi trefnu i America gael ei sefydlu ar lafur caeth. Ond, ar yr un pryd, rhaid cyfaddef fy mod i'n ei chael hi'n anodd iawn i dderbyn rhai o lwybrau eraill Rhagluniaeth. Rwyf innau'n gyndyn o dderbyn holl lwybrau Rhagluniaeth.'

'Pa rai?' Ceisiodd swnio fel merch ifanc ddiniwed eto. 'Nid wyf yn eich deall, Mister Whitefield.'

'Roeddwn i'n gobeithio – nage – yn *credu* ers talm y byddai deffroad crefyddol mawr yma ar dir America.' Ysgydwodd ei ben yn egnïol. 'Nage, nage. Roeddwn i'n *gwybod* y byddai deffroad crefyddol mawr yma ar dir America. Ac er bod Rhagluniaeth yn defnyddio dynion meidrol syml fel cyfryngau i ddod â deffroad crefyddol weithiau, roeddwn i'n gobeithio...'

Aeth yn dawel am yn hir. Gallai Grasi glywed Godfrey yn symud ychydig yn y gadair yr ochr arall i'r ddesg. Cododd y Parchedig Whitefield law a gosod bys o dan fflap y chwig er mwyn cosi'i glust chwith.

'Roeddwn i'n gobeithio... roeddwn i'n gobeitho y byddai'r Hollalluog yn dewis anfon angylion yma i America. Er mwyn hwyluso'r ffordd. Er mwyn dangos bod y wlad newydd hon wedi'i hordeinio ganddo Ef i fod yn wahanol i holl wledydd eraill y byd.' Roedd ei lygaid yn disgleirio a'r dagrau'n rholio i lawr ei fochau coch. 'Dim ond gweision yw'r angylion, meddai'r Gair Sanctaidd, ond eto, gweision yr Hollalluog ydynt. Ac felly roeddwn i wedi gobeithio'u gweld yma, yn cyhoeddi'r cynllun ar gyfer gwlad newydd ac yn ein gorchymyn i godi'r wlad honno yma ar dir America.' Trodd ychydig yn ei gadair ac estyn hances o'i ddesg. 'Dyna oedd fy ngobaith.' Sychodd ei ddagrau â'r hances ac wedyn edrychodd arni. 'Roeddet ti wedi tanio'r hen obaith ynof i eto. Pan oeddet ti'n blentyn. Yn dangos cymaint o allu. Yn arddangos gallu cwbl anghyffredin. Arallfydol, hyd yn oed. Roeddwn i'n meddwl y gallet ti fod yn un o'r angylion.'

'Ac wedyn?' Roedd ei llais hi'n wahanol. 'Beth oedd eich casgliad?' Nid llywio sgwrs a chael gwybodaeth gan elyn oedd hi bellach. Roedd y cwestiwn yn ddiffuant. Roedd Grasi, y fenyw ifanc a fuasai'n ferch ifanc yn eistedd yn yr ystafell honno, yn ysu i wybod beth oedd y Parchedig Whitefield yn meddwl amdani. Daeth rhagor o ddagrau a dechreuodd eu sychu â'r hances eto.

'Roedd y casgliad yn anochel erbyn y diwedd.' Roedd ei lais yn gryg. Pesychodd unwaith. Cliriodd ei wddwf. 'Cymaint oedd dy ddeallusrwydd, Grasi. Mor anhygoel oedd dy grebwyll. Mor... mor... mor anghredadwy o arallfydol oedd dy holl ddoniau...' Gosododd yr hances wleb ar un pen-glin, yn ddigrif o dwt, a rhoddodd ei ddwylo ar ei liniau eto. 'Roeddwn i'n gwbl sicr dy fod yn angel erbyn y diwedd.' Pesychodd eto, am yn hir y tro hwn. Ceisiodd afael yn yr hances ond syrthiodd hi i'r llawr, felly cododd ei law noeth at ei geg, yn parhau i besychu.

'Yr hen asthma. Wedi dod ar adeg anffodus.' Un pesychiad bach arall. 'Ar yr union adeg.' Pesychiad arall. 'A finnau ar fin ei ddweud o.' Wedi cael ei wynt eto, ymsythodd yn ei gadair. 'Do, do, Grasi. Roedd yn gwbl amlwg i fi erbyn y diwedd. Ac... felly... mae'n dal yn amlwg i mi... heddiw. Ond fel y dywedais, mae rhai o lwybrau Rhagluniaeth yn anodd i mi eu deall.'

Aeth yn dawel iawn, ei lygaid wedi'u hanelu i lawr ei drwyn hir fel saethwr yn edrych ar ei darged ar hyd anelfa gwn. Siaradodd eto o'r diwedd.

'Nag wyt ti'n deall?' Oedodd, ei ben ar ychydig o ogwydd. 'Nag wyt ti'n gweld y drefn yr wyt ti dy hun yn rhan ohoni?' Plygodd ymlaen a chydio yn ei hysgwydd eto ag un llaw, y cyffyrddiad yn dadol. Gwenodd arni.

'Angel wyt ti, Grasi. Angel y mae'r Hollalluog wedi'i yrru i dir America.' Tynnodd ei law yn ôl. 'Ond nid wyt ti wedi dy yrru yma i gyhoeddi'r cynllun mawr, yr hanes y mae'n rhaid i mi lafurio er mwyn ceisio'i wireddu.' Roedd yn ysgwyd ei ben erbyn hyn. 'Nage, nage. Rwyt ti wedi dy yrru yma er mwyn ceisio fy rhwystro i. Am ryw reswm nad wyf yn ei ddeall, mae'r Hollalluog am i'm hymdrech fod yn hir ac yn anodd. Yn groes i'r hyn y byddwn i, fel dyn meidrol nad yw'n deall y pethau hyn yn llawn, mae Rhagluniaeth wedi gosod –'

Dechreuodd besychu eto, yr asthma'n gafael yn ddrwg ynddo, ei holl gorff yn ysgwyd. Ag un llaw wedi'i gwasgu at ei geg, chwifiodd y llaw arall ati, fel pe bai'n ymddiheuro. Trodd at ei ddesg ac agorodd ddrôr, yn amlwg yn estyn ei ffisig. Gallai Grasi weld Godfrey yn plygu ymlaen yn ei gadair.

'*May I help, Reverend Whitefield?*' Chwifiodd y llaw ymddiheuriol at Godfrey ac wedyn aeth ati i chwilio yn y drôr eto.

A dyma oedd yr adeg. Gwthiodd Grasi ei breichiau a'i

choesau'n erbyn y rhaffau gyda'i holl nerth; roedd y rhwymau wedi'u llacio gan ei hymdrechion cynharach ac roedd y tro olaf hwn yn ddigon. Siglodd yn gyflym o ochr i ochr a llithrodd i fyny nes ei bod yn rhydd o'r rhaff uchaf. Plygodd a gafael yn y rhaff arall er mwyn ei chodi fymryn a rhyddhau'i choesau.

Roedd anhwylder ei arweinydd wedi hawlio holl sylw Godfrey am ychydig, ond sylwodd yn sydyn fod Grasi'n symud. Neidiodd hi i'r llawr a mynd i'w chwrcwd y tu ôl i gadair George Whitefield, a oedd yn pesychu ac yn ceisio agor potel ar y ddesg o'i flaen. Roedd y teclyn yn llaw Godfrey wedi dechrau goleuo, rhyw fath o gwmwl porffor yn hel yn y biben wydr a'r cwmwl bach hwnnw'n creu ei olau'i hun. Ceisiodd anelu'r arf ati, ond roedd yn amlwg yn poeni am daro ei arweinydd. Gweithiodd meddwl Grasi'n gyflym, yn asesu'r posibiliadau mewn eiliad. Roedd angen arf o ryw fath arni hithau. Rhywbeth y gallai hi ei daflu. Rhywbeth y gallai afael ynddo'n syth heb symud ymhellach.

Cipiodd chwig gwyn George Whitefield oddi ar ei ben, yn symud ychydig i'r ochr ar yr un pryd. Ceisiodd Godfrey ei dilyn hi â'r arf ond roedd o hanner eiliad y tu ôl iddi. Taflodd Grasi'r chwig at wyneb y dyn a baglodd Godfrey yn ôl dros ei gadair, yn codi un llaw yn rhy hwyr i rwystro'r taflegryn annisgwyl, yr arf yn codi yn y llaw arall, stribed o olau porffor myglyd yn saethu i fyny ac yn taro pren y nenfwd wrth i Grasi blygu ymlaen a chodi llyfr o'r ddesg. Roedd Godfrey'n dal y chwig yn un llaw ac yn dechrau anelu'r arf ati eto, y cwmwl porffor golau'n dechrau ailymddangos y tu mewn i'r gwydr. Taflodd hi'r llyfr at ei ben a'i daro'n galed yn ei dalcen. Disgynnodd yr arf o'i law a daeth crats wrth i'r gwydr chwalu ar y llawr. Roedd y Parchedig Whitefield di-chwig yn syllu arni'n synn, y botel ffisig yn ei law. Gwelodd hithau fod un o'r llyfrau eraill ar y ddesg wedi'i gau â bwcl metel. Llyfr clawr caled ydoedd, ei faint yn berffaith. Cododd y gyfrol a tharo'r gweinidog yn galed yn ei arlais. Disgynnodd o'i gadair, y botel yn syrthio o'i law ac yn chwalu ar y llawr. Neidiodd hi i ochr arall y ddesg, yn osgoi'r cwmwl bach porffor oedd yn codi tua'r nenfwd o weddillion y teclyn. Roedd Godfrey'n dechrau sefyll eto, ond cyn iddo lawn sylweddoli beth oedd yn digwydd, roedd hi wedi'i daro i lawr gyda'r arf o lyfr yn ei llaw.

Agorodd y drws a rhedodd allan i'r côridor. Dyna ble oedd gofalwraig neu athrawes, un nad oedd hi'n ei hadnabod, yn arwain pedair merch ifanc mewn rhes, ar eu ffordd o'u gwers olaf i ryw weithgaredd cyn swper, mae'n rhaid. Gwasgodd Grasi heibio i'r merched syn a rhedeg i lawr y côridor at y drws. Wrth iddi ei agor a llithro allan i olau olaf y prynhawn, clywodd Grasi sgrech y tu ôl iddi, llais dynes yn sgrechian yn uchel mewn braw.

Gwyddai Grasi fod rhaid iddi droi i'r dde er mwyn osgoi'r llwybr a arweiniai at y gweithdy a'r clafdy. Gan fod yr haul ar fin machlud, byddai'r caeau'n wag a byddai'n haws mynd y ffordd honno heb gael ei gweld. Nid oedd am oedi a gwastraffu cymaint ag eiliad, ond bu'n rhaid iddi aros ennyd a syllu ar y cerflun o'i blaen.

Yr unig ran o'r lle a oedd yn ymddangos yn wahanol i'r hyn a gofiai. Cylch o ardd gyda cherflun mawr yn ei chanol. Plinth gwenithfaen praff gydag angel efydd yn sefyll arno, ei freichiau a'i adenydd ar led, ei wyneb yn wrywaidd ond eto rywsut yn fenywaidd ar yr un pryd. Clywodd leisiau eraill y tu mewn i'r adeilad, dynion yn galw, a'r ddynes yn sgrechian yn uchel o hyd. Trodd Grasi a rhedeg am y caeau. Roedd coedwig yr ochr arall i'r caeau a chysgodion y coed yn hir yng nghyfnos mis Hydref.

15

Ar Fwrdd
y *Seraphim Rose*

Safai Grasi mor agos â phosib at yr ymyl, ei dwylo'n gafael yng nghanllaw'r llong, yn amsugno'r teimlad a'r sŵn a'r aroglau. Roedd wedi croesi llawer o afonydd o'r blaen ac wedi teithio i geg afon Safana er mwyn ymweld â rhai o'r ynysoedd agosach, ond nid oedd wedi hwylio mor bell o'r lan erioed o'r blaen. Roedd y sgwner dau hwylbren yn ddigon bas ei drafft i dramwyo'r sianeli rhwng yr ynysoedd a'r arfordir ond roedd hefyd yn llestr digon praff i fentro i'r môr agored. Hwylio'r môr agored oedd hi ar hyn o bryd, heb dir i'w weld yn unman. Anadlodd Grasi'n ddwfn, yn sawru'r aroglau – heli'r cefnfor, yn lân ac yn wefreiddiol o syml, mor wahanol i'r cymysgedd cyfarwydd o heli, mwd, gwymon a phydredd a arogleuai ar lan y tir. Roedd rhywbeth gwefreiddiol o syml am y synau yn ogystal, y tonnau'n ergydio'r llong fel curiadau drwm mawr, y pren yn gwichian, cri'r gwylanod a oedd yn ei dilyn yn awchus. Mwynhâi Grasi sbonc y llong hefyd, yn teimlo bod y neidiau rhythmig trwy'r tonnau rywsut yn ymdreiddio i'w hesgyrn ac yn creu cofnod corfforol o'i thaith.

Llais Capten Hawkins, yn gorchymyn y morwyr i droi ychydig i'r gogledd. Trodd Grasi er mwyn gwylio'r dynion wrth eu gwaith. Roedd hi wedi gwisgo fel morwr hefyd, hen gôt fer yn llac amdani, y botymau heb eu cau a sgarff las wedi'i chlymu am ei phen. Pe bai rhywun o'r lan wedi astudio'r *Seraphim Rose* wrthi iddi hwylio i aber yr afon, ni fyddai hi wedi ymddangos yn wahanol i'r morwyr eraill. Ond rŵan roedd hi'n mwynhau gweld y morwyr go iawn wrth eu gwaith, yn tynnu ar raffau i newid lled ac osgo'r hwyliau er mwyn gwneud y gorau o'r gwynt wrth i'r llong newid cyfeiriad o'r dwyrain i'r gogledd-ddwyrain ac wedyn i'r gogledd.

Myfyriai ynghylch gosodiad cymhleth yr holl raffau, pob un yn edrych yn debyg i'r lleill ond yn gwneud rhywbeth ychydig yn wahanol i'r rhai yn ei hymyl. Dotiai at y modd yr oedd y morwyr yn gwybod pa effaith yn union a geid trwy dynnu ar bob un o'r rhaffau lluosog. Dychmygodd ei stori hi fel llong yn hwylio i'r dyfodol, a phlethwaith cymhleth o raffau'n ei rheoli. Gwyddai i ba le yr oedd llawer o'r rhaffau yn mynd a pha effaith a gâi trwy dynnu arnyn nhw a'u dilyn i'r pen. Ond roedd ambell linyn nad oedd hi'n deall ei ddefnydd eto ac felly'n osgoi tynnu'n rhy galed arno.

Sylwodd fod Amos Hawkins yn cerdded tuag ati, ei goesau byr yn plygu gyda naid y llestr, bron fel pe bai'n rhan symudol o fwrdd y llong, a'i ysgwyddau llydan yn rholio i fyny ac i lawr gyda'r rhythm. Gwisgai'i gôt laes a het drichorn frown ddiaddurn.

'And how are you enjoying your first real sea voyage?'

'Yn fawr iawn, diolch, Capten Hawkins.'

'Fyddwn ni ddim yn gweld y tir am dipyn eto,' edrychodd ar forwr oedd yn gweithio yn eu hymyl, 'os yw'r rhain yn gwneud eu gwaith yn iawn.' Cododd law at ei het, yn ei gwarchod rhag chwa galed o wynt, ac edrychodd arni. 'Sut wyt ti erbyn hyn?'

'Iawn. Wrth gwrs.' Craffodd arni am yn hir, y naill law ar ei het o hyd a'r llall yn dal y canllaw.

'Does dim rhaid i ti fod mor gryf trwy'r amser.' Tynnodd ei het oddi ar ei ben a'i chwifio at yr hwylbren agosaf. 'Mae'n rhaid i hwylbren da fod mor gryf â haearn er mwyn dal yr holl bwysau a gyrfa'r gwynt.' Edrychodd Grasi ar y capten eto; roedd y gwynt a chwythai ar y foment yn chwipio hynny o wallt gwyn a oedd ganddo o gwmpas ei glustiau. 'Ond mae'n rhaid i'r hwylbren fod yn hyblyg hefyd, yn plygu ar yr adegau iawn yn hytrach na thorri.' Rhoddodd yr het yn ôl ar ei ben, yn cadw un llaw arni.

'Gallet ti orffwys ac ymlacio ar hyn o bryd.' Gwenodd. 'Ymlacio ac ymddiried yn y *Rose* a finnau i fynd â thi i ben dy daith.'

*

Roedd wedi dweud yr un peth y noson flaenorol mewn cyfarfod brys o'r Cyngor a oedd wedi'i alw ar ôl iddi ddianc a dychwelyd i Safana. Adroddodd hi holl hanes gwersyllfa'r golosgwyr a Bethesda, o leiaf y darnau yr oedd yn eu deall ac yn gallu'u disgrifio. Roedd y canhwyllau wedi'u cynnau a fflamau'n llarpio'r coed yn y lle tân mawr, y golau'n ymgiprys â chysgodion yr ystafell.

'Mae gen i ragor o hanes y dynion hynny,' cynigiodd Warri Jekri ar y pwynt yna. 'Daeth un o'n patrolau ar draws wagen yn teithio i gyfeiriad Port Wentworth o Fethesda. Mae'r Sais Godfrey a'r ddau ddyn arall yn y seleri'n barod.'

'Ac mae'n debyg mai nhw oedd yr olaf o'r lladron dynion,' nododd Johan Fuchs. Cochodd ychydig. 'Wel, yr olaf o'r rhai sydd wedi bod yn taro yng nghyffiniau Safana yn ddiweddar. Mae'n ymddangos ein bod ni wedi torri'r cylch hwnnw'n derfynol rŵan.' Roedd cadair ei chwaer Maria yn wag yn ei ymyl. Un o'r pethau cyntaf a ddysgodd Grasi ar ôl cyrraedd y tŷ oedd bod Martin wedi marw a'i ddyweddi, Maria Fuchs, wrthi'n cynnal gwylnos gyda'i fam o. Teimlai Grasi yr hoffai ymweld â mam Martin a chydymdeimlo â hi. Câi gyfle i gydymdeimlo â Maria eto, ond byddai'n dda cael rhannu'r manylion a wyddai am ddewrder a gwasanaeth yr ymadawedig â'i fam. Gallai adrodd straeon wrthi am ei mab a fyddai'n gysur iddi, straeon y gallai eu coleddu er mwyn gwrthbwyso ychydig o'r galar a fyddai'n ei llethu weddill ei hoes. Ond ni allai Grasi ddatgelu'i bod hi'n aelod o'r Gwasanaeth hyd yn oed wrth fam aelod arall. Dyna oedd y rheol gyntaf a ddysgodd ar ôl ymuno, hyd yn oed cyn dysgu derbyn bod ymddygiad didrugaredd a rheswm oeraidd ymysg arfau mwyaf pwerus Gwasanaeth Cyngor Safana.

'Mae'n debyg bod George Whitefield ym Methesda o hyd,' dywedodd Perla Sheftall wedyn.

'Mae asiantau eraill y Gwasanaeth wedi bod yn gwylio'r lonydd yn ofalus,' ychwanegodd ei mab Mordecai, 'ac felly bydden ni'n gwybod pe bai o'n teithio.'

'Ac mae'n pobl ni'n gwylio'r ffin,' nododd Toonahowi.

'Mae'n debyg nad yw'r diawl wedi dadebru eto,' meddai Amos Hawkins, yn pwyso'n ôl yn ei gadair yn fodlon, 'ar ôl yr ergyd roddodd Grasi iddo!'

'Troi llyfr yn arf!' ebychodd Johan Fuchs, ac yntau'n edrych ar Grasi mewn modd gwahanol iawn i'r arfer. 'Rhaid bod trosiad neu ddameg yn y stori honno.'

'Ond mae arfau o fath arall yn bwysicach ar hyn o bryd.' Roedd min difrifoldeb ar lais Fearchar MacGilleBhràth a chochodd Johan wrth iddo suddo ychydig yn ei gadair. 'Er ein bod ni wrthi ers rhai dyddiau bellach yn astudio teclynnau'r lladron dynion, nid ydyn ni'n agosach at eu deall.'

'Roeddwn i am adael i Eachann geisio defnyddio un o'r arfau yna ar gwpl o'r carcharorion,' meddai Warri Jekri, yn taflu'i lygaid yn lled gyhuddgar o gwmpas y bwrdd, 'ond doedd gweddill y Cyngor ddim yn barnu bod hynny'n ddoeth nes ein bod yn eu deall yn well.'

'Bid a fo am hynny, mae Grasi wedi disgrifio sut yr effeithiodd arni hi.' Symudodd Senauki ei llygaid o Grasi i Warri Jekri. 'Ac rydyn ni wrthi'n astudio'r ddau ddyn a achubwyd, Mani Alton a'i fab hynaf Viribus.'

'Maen nhw'n cysgu o hyd,' eglurodd Perla Sheftall, 'ac mae gennym ni rywun yn eu gwylio'n barhaus.'

'Mae'r Cyngor wedi'i rannu ynghylch nifer o bethau,' dywedodd Fearchar MacGilleBhràth yn codi ei freichiau ychydig ac yn ymestyn ei ddwylo, yn arwydd ei fod am gofleidio'r holl ystafell.

'Mae rhai ohonon ni am ddwyn Whitefield i gyfraith yn syth,' meddai Johan Fuchs. 'Gallen ni gyflwyno cwyn ffurfiol i Lywodraeth y Dirprwywyr a dweud bod Whitefield yn cydweithio â throseddwyr sydd wedi herwgipio rhai o drigolion Georgia. Ond –'

'Ond,' ebychodd y Cadeirydd ar ei draws, 'mae eraill ohonon ni'n credu y byddai hynny'n annoeth. Gwyddom fod y Parchedig Whitefield ym Methesda, yma o dan ein trwynau yn Georgia. Mae'n well i ni gadw llygad arno a gweld beth fydd ei symudiad nesaf.' Oedodd, yn ciledrych ar y Salzburger ifanc. 'Beth bynnag, byddai'n rhaid wrth dystiolaeth er mwyn ei gyhuddo o'r fath drosedd, a byddai hynny'n golygu cyflwyno Grasi i'r llys fel tyst.' Ochneidiodd. 'Ac mae hynny'n amhosib, achos byddai Grasi'n rhy adnabyddus yn y ddinas i barhau â'r Gwasanaeth ar ôl hynny.'

'Wel, dwi ddim yn credu y bydd Whitefield yn symud am sbel go lew.' Roedd Amos Hawkins yn gwenu. 'Bydd yn cymryd amser iddo wella o'i glwyf.'

'Hefyd, mae peth anghytundeb ynglŷn â'r modd gorau o ddefnyddio'r asiantau sydd gan y Gwasanaeth yn y trefedigaethau caeth.' Roedd Fearchar MacGilleBhràth yn pwyso ei ddwylo ar y bwrdd erbyn hyn, ei lygaid yn symud yn araf o wyneb i wyneb.

'Rwyf am iddyn nhw wylio'r caethfarchnadoedd er mwyn chwilio am y dynion eraill a gipiwyd,' dywedodd Perla Sheftall.

'Ond er mor ofnadwy yw sefyllfa bresennol y dynion hynny,' dywedodd Warri Jekri, yn plygu ymlaen er mwyn edrych yn ymddiheuriol ar y fenyw oedrannus, 'mae eraill ohonon ni'n credu y dylen ni ddefnyddio'r adnoddau prin hynny ar gyfer gorchwylion eraill.' Pwysodd yn ôl yn ei gadair ac edrych ar y Cadeirydd. 'Mae rhyfel ar y ffordd, ac mae'n bwysig ein bod ni'n deall hyd a lled y lluoedd yn y trefedigaethau caeth, pob milisia a phob un o gatrodau'r Goron.'

'Cytunaf,' edrychodd Mordecai Sheftall yntau'n ymddiheuriol ar ei fam. 'Gwyddom fod y *Buckingham* wedi dod â llu sylweddol o Heseniaid dros y môr, ond ar wahân i'r ychydig a welodd Grasi ym Mhrofidens, does gennym ni ddim syniad ble y mae'r rhan fwyaf ohonyn nhw ar hyn o bryd.'

'Gyfeillon!' Roedd Senauki wedi codi un llaw. 'Nid hwn yw'r amser i drafod pethau felly.' Rhoddodd ei llaw i lawr yn araf. 'Rhaid i ni drafod cam nesaf Grasi. Gadewch i ni ystyried y materion eraill ar ôl iddi fynd.'

'Geiriau doeth,' meddai Fearchar MacGilleBhràth, yn sefyll yn araf, ei lygaid ar Grasi wrth ben arall y bwrdd.

'Rwyf yn barod i wasanaethu,' meddai hi, yn plygu'i phen ychydig.

'Wrth gwrs,' amneidiodd Cadeirydd y Cyngor. 'Ond credaf y byddai'n fuddiol i ti wasanaethu mewn modd ychydig yn wahanol y tro hwn.' Edrychodd o gwmpas yr ystafell, yn annerch yr aelodau eraill yn ogystal â Grasi. 'Rwy'n cynnig ein bod ni'n gofyn i Grasi fynd yn llysgennad drosom a gwneud gwaith diplomat yn hytrach nag ysbïo am unwaith.' Roedd yn edrych ar Grasi erbyn hyn. 'Er ein bod ni wastad wedi cymryd y bydd Gweriniaeth Rydd Vermont a Chonffederasiwn y Wabanaki yn ochri â ni yn y rhyfel a ddaw, nid ydym mewn cysylltiad â nhw ar hyn o bryd.'

'Gwir,' cytunodd Mordecai Sheftall. 'Rhaid sicrhau bod ein cynghreiriaid pwysicaf yn gynghreiriaid go iawn. Fiw i ni gymryd pethau mor bwysig â hynny yn ganiataol cyn i ni fynd i ryfel.'

'*Henka*,' dywedodd Senauki, yn siarad yn gyflym â Grasi yn Mvskoke, 'bydd dy allu ieithyddol yn gymorth amhrisiadwy, a gall amlygu dy dras helpu hefyd. Gallet ddweud dy fod yn dod at y Wabanaki yn llysgennad ar ran Mvskoke Georgia yn ogystal ag ar ran cyfeillion eraill rhyddid yn y de.' Trodd yr hynafwraig at Saesneg wedyn. '*Yes, Grasi is the best choice for this work.*' Roedd pennau'n amneidio o gwmpas y bwrdd. Curodd Fearchar MacGilleBhràth ei ddwylo unwaith yn fuddugoliaethus ac eisteddodd eto. Edrychodd ar y capten llong ar ei law chwith.

'Amos?'

'*The* Seraphim Rose *will be ready to sail before dawn.*'

Edrychodd ar Grasi wedyn, gwên lydan ar ei wyneb. 'Rwyt ti wedi ymdrechu ddigon yn ddiweddar.

Gelli di orffwys am dipyn. Ymlacio ac ymddiried yn y *Rose* a finnau i fynd â thi i ben dy daith. Ond yn gyntaf, dos adref a pharatoi. Tyrd i'r dociau mewn dwy awr. Byddai'n well i ti fynd ar y llong gyda'r rhan fwyaf o'r morwyr.'

Amneidiodd Grasi. Gall fod yn brofiad braf i adael i rywun arall ofalu am fy hynt am unwaith, meddyliodd. Ymlacio ac ildio cyfrifoldeb y daith. Sylwodd ei bod hi'n gwenu'n llydan er ei gwaethaf ei hun. Difrifolodd yn syth. Byddai'n rhaid iddi ddysgu ildio'r cyfrifoldeb hwnnw a gwyddai na fyddai'n hawdd iddi ddysgu'r wers honno.

Dilynodd Senauki hi o'r ystafell, gan gau'r drws yn dawel ar eu holau nhw.

Roedd Eachann Mòr ac Aonghas Òg yn sefyll yn y cysgodion yn ymyl y drws mawr coch, darnau metel eu harfau'n sgleinio yng ngolau unig lusern y cyntedd.

Oedodd Grasi, yn disgwyl i'r fenyw hŷn siarad, ond arhosodd Senauki yn ddistaw am yn hir, ei llygaid yn disgleirio yn y golau. Siaradodd yn dawel yn Mvskoke yn y diwedd.

'Mae mwy i'th hanes diweddar na'r hyn a ddywedaist wrth y Cyngor.'

'Oes.'

'Ond?'

'Maddeuwch i mi.' Edrychodd Grasi ar y cysgodion wrth ei thraed, cyn codi'i llygaid ac edrych ar wyneb yr hynafwraig eto. 'Ond... nid wyf yn gwbl sicr beth yn union a ddigwyddodd i mi yn ddiweddar.' Anadlodd yn ddwfn, ac wedyn disgrifiodd y breuddwydion a gawsai yn wagen y lladron dynion a'r hyn a brofasai yn ystafell George Whitefield ym Methesda.

'*Henka*,' dywedodd Senauki, yn syfrdanol o ddidaro. 'Gwyddwn dy fod felly.'

'Felly?'

'Ie.' Cydiodd Senauki yn ei dwylo â'i dwylo hithau a'u gwasgu'n dyner. 'Rhaid bod gennyt syniad hefyd.'

'Syniad... fy mod i... *felly*?'

'A wyt ti wedi dod ar draws rhywun arall sydd â'r un doniau â thi?' Gwasgodd ei dwylo ychydig eto. 'Erioed?'

'Nac ydw. Ond...'

'Ac felly a wyt ti'n synnu dy fod felly?' Cododd ei dwylo a'u gosod ar fochau Grasi, cyn eu gollwng a chydio yn ei dwylo eto.

'A oes enw ar gyfer... bod felly?'

'Oes, a nac oes.'

'Defnyddiodd o y gair... y gair... *angel*.' Chwarddodd Grasi ychydig, fel un a oedd wedi meddwi ac yn ansicr am ba beth yr oedd yn chwerthin. 'Ddoe. Ond hefyd nifer o weithiau yn y gorffennol.'

'Mae ganddo ddoethineb o fath, y dyn hwnnw. Ac mae'n gywir, o leiaf cyn belled ag y mae'i ddull Cristnogol o weld y byd yn gadael iddo fod yn gywir. Rydyn ni'r Mvskoke wastad wedi credu bod y Crëwr Mawr wedi creu bodau ysbrydol yn ogystal â phobl.'

'Ond nid... bod *ysbrydol*... ydw i, ond benyw. Asgwrn, cig a gwaed, fatha chi.'

'Pwy sy'n cael gwybod beth yw holl ddeunyddiau crai'r Cread?' Oedodd, yn gollwng dwylo Grasi o'r diwedd. 'Gwranda di arna i. Mae gan wahanol bobloedd wahanol enwau a gwahanol ffyrdd o ddisgrifio'r hyn yr wyt. Pan ei di i'r gogledd, mi glywi di'r Wabanaki yn sôn am y *Glwsgap*. Dywed Warri Jekri fod rhai o bobloedd gorllewin Affrica'n cyfeirio at yr *Ehi*. Mae Cristnogion o Ewrop yn sôn am *angylion* ac mae Iddewon yn trafod *Malakhim*.'

'Sut ydych chi'n gwybod yr holl bethau hyn?' Chwarddodd Senauki, yn rhyfeddol o uchel o ystyried y ffaith mai lled sibrwd y bu'r ddwy hyd at y pwynt yna.

'Mae'n ddrwg gen i,' dywedodd Grasi, 'nid o amharch y siaradais, ond –.'

'Ust!' Chwarddodd Senauki eto, yn dawelach y tro hwn. 'Gwranda. Mae amser yn brin. Rhaid i ti fynd adref a pharatoi ar gyfer y fordaith. Gwn dy fod wedi blino, ond mi gei di orffwys ar y llong, fel y dywedodd Amos.'

'Ond –'

'Ust, Grasi, ust. Does gen i ddim rhagor o wybodaeth i ti ar hyn o bryd. Rwyf wedi dweud y cyfan wrthyt ti. Ond mae gen i air arall o gyngor. Os wyt ti am wybod yr hyn yr wyt, edrych di yn dy galon dy hun. Nid y tu allan y mae'r atebion, ond y tu mewn i ti.'

Cofleidiodd Grasi Senauki, a'i gwasgu'n dynn ati. Yna, trodd yr hynafwraig ac agor y drws er mwyn ailymuno â thrafodaethau Cyngor Safana. Cerddodd Grasi hithau'n araf at ben arall y cyntedd. Amneidiodd Aonghas Òg ac agor y drws.

'*Gur math a théid leat*,' dywedodd Eachann Mòr, yn dymuno pob lwc iddi.

Cododd Grasi law a chyffwrdd â llaw'r dyn mawr yn frysiog.

'*Tapadh leat*,' atebodd, yn diolch iddo, cyn camu dros riniog y tŷ a diflannu yng nghysgodion y nos hydrefol.

*

'*We'll make good speed now with this fine wind in our sails!*' Roedd llygaid Amos Hawkins ar y gorwel.

'Pryd y gwelwn ni dir eto?'

'Nid am gwpl o ddyddiau, gobeithio. Ar ôl i ni hwylio heibio i'r porthladd olaf yn y gogledd. Portsmouth. Yn Hampshire Newydd.'

'Porthladd olaf y dyn gwyn.'

'Ie, eithaf reit.' Chwarddodd y capten llong, yn derbyn y cywiriad yn raslon. 'Porthladd mwyaf gogleddol y trefedigaethau Prydeinig yn America. Portsmouth. Bydd hi'n saff i ni fynd yn nes at y tir ar ôl hynny.' Edrychodd ar Grasi. 'Gobeithio nad oes ofn y môr agored arnat ti?'

'Nac oes. Does dim ofn dim byd arna i.' Edrychodd hi ar y gorwel. 'Ac fel mae'n digwydd, dwi wrth fy modd â'r môr.'

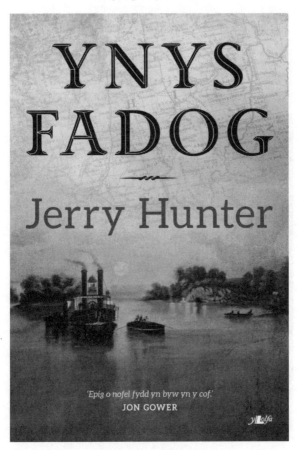

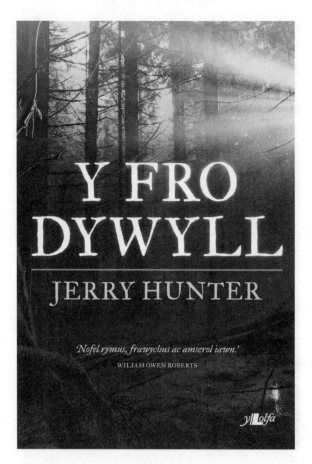

Y FRO DYWYLL

JERRY HUNTER

'Nofel rymus, frawychus ac amserol iawn.'
WILIAM OWEN ROBERTS

y Lolfa

£9.95

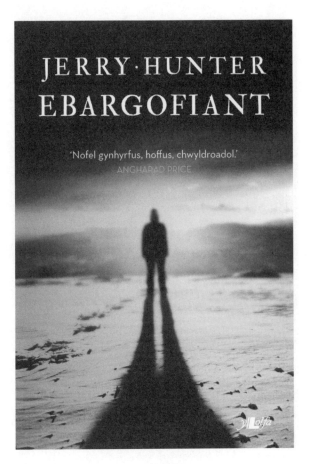

JERRY·HUNTER
EBARGOFIANT

'Nofel gynhyrfus, hoffus, chwyldroadol.'
ANGHARAD PRICE

y Lolfa

£7.95